Cerdded y Palmant Golau

Rhan o'r Stori

Cerdded y Palmant Golau

Rhan o'r Stori

Harri Parri

Cyhoeddwyd yn 2020 gan Wasg y Bwthyn, Caernarfon
gwasgybwthyn@btconnect.com

ISBN 978-1-912173-34-1

Dyluniad mewnol gan Dylan Williams

Cyhoeddwyd gyda chymorth ariannol
Cyngor Llyfrau Cymru.

Cynnwys

Cyflwyniad

I Nan, yn arbennig. Pwy arall?

Diolch

Mae'r gyfrol, am ei gwerth, yn llawn cymaint o gofiant i dair bro ag ydi hi o stori un person. Diolch i'r eglwysi hynny a fu mor fentrus â'm gwahodd atyn nhw i gydweithio – a hynny pan oedd gweinidogion yn ddwsin am ddimai a'r dewis yn fwy na'r gofyn. Heb garedigrwydd ac ysbrydolrwydd pobl tair ardal fyddai yna ddim stori i'w hadrodd. Neu, o leiaf, nid y stori yma.

Serch cyrchu peth i archifdai a llyfrgelloedd, y tro hwn roedd yna archif ar yr aelwyd. Diolch i fy ngwraig, Nan, am gasgliad oes o luniau, toriadau papurau newydd a chylchgronau, sylwadau a chofnodion prin. Yna, mae yna lu mawr iawn o rai y bûm ar eu gofyn nhw am fenthyg llun, cadarnhau ffaith neu wybodaeth ychwanegol. (Ymddiheuriadau ymlaen llaw am bob atgof a chofnod a lithrodd, oherwydd hyd y blynyddoedd, i fod yn ddychymyg.) Wrth gwrs, bu'n amhosibl cynnwys pob llun a chofnodi enw pob cymwynaswr ond dydi fy niolch i ronyn llai.

Unwaith eto rhaid cydnabod caredigrwydd Cyngor Llyfrau Cymru yn rhoi cefnogaeth i mi ysgrifennu'r gyfrol ac i weld ei chyhoeddi yn nes ymlaen. Fel sawl tro, bu Marred Glynn Jones, Golygydd Creadigol, yn gefn ac yn ysbrydoliaeth i mi gydol cyfnod yr ysgrifennu yn ogystal â goruchwylio'r gwaith o gyhoeddi. A diolch, unwaith eto, i Gwyn Lewis am gywiro ar fy rhan. Er yn dilyn galwedigaeth arall bellach, diolch i Dylan Williams – a ddyluniodd *Gwn Glân a Beibl Budr* – am fy nghynorthwyo i ddethol o'r cannoedd o luniau a oedd ar gael, cynllunio clawr a dylunio'r gyfrol drwyddi draw. Fel y nodais o'r blaen, bu Gwasg y Bwthyn – o dan wahanol enwau – naill ai'n cyhoeddi neu'n argraffu ar fy rhan er diwedd y Chwedegau a diolch am un gymwynas arall eto.

Harri Parri

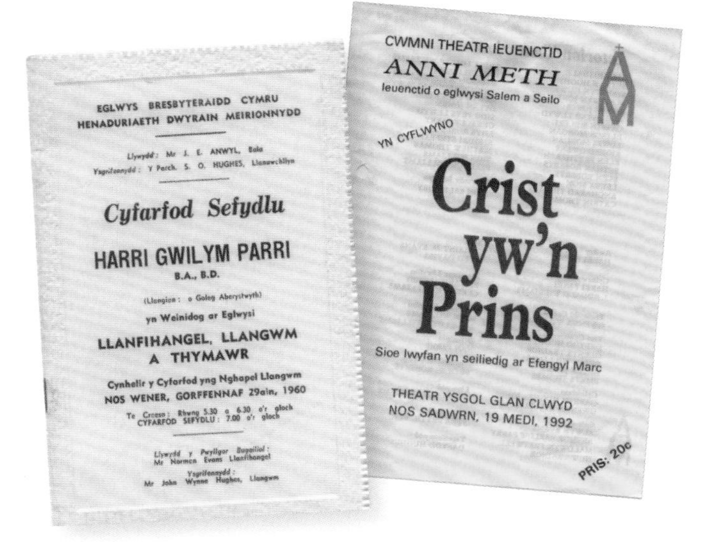

Rhagair

Gwagswmera roeddwn i ar y pryd rhwng sgwennu dwy gyfrol, dwy gyfrol a olygodd gryn waith ymchwil. A meddwl y byddwn i rywdro, petai'r injan yn troi'n wag, yn mynd ati, wrth fy mhwysau, i gofnodi gwerddonau'r daith. Hynny ydi, glynu mor bell ag y medrwn i at y llon a'r lliwgar, y dymunol a'r hanner doniol – a'r annisgwyl. Fel un wrth gerdded stryd yn dewis troedio, hyd y mae'n bosibl, y palmant golau yn hytrach na'r ochr sydd yn y cysgod.

Eto, fy arwyr i gydol y daith fu'r gweinidogion canol y ffordd a lwyddai i fyw'r weinidogaeth draddodiadol a honno'n hawlio bywyd i gyd. I mi, fodd bynnag, bu i'r profiadau a'r cyfleodd gwahanol a syrthiodd ar fy llwybr nid yn unig roi mwy o flas i mi ar fyw, ond fy nghadarnhau mai'r llwybr a gerddwn oedd yr un i mi – faint bynnag fu gwerth y cerdded hwnnw.

Eto, nid hunangofiant mo hwn.

Felly, wrth sgwennu, dyma benderfynu hepgor sôn am rythm gwaith-pob-dydd gweinidog, cyn belled ag y byddai hynny'n bosibl; byddai honno'n stori pob gweinidog ac yn *rhan* o fy stori innau. Hefyd, fel y dylid, cadw yn y galon straeon bod

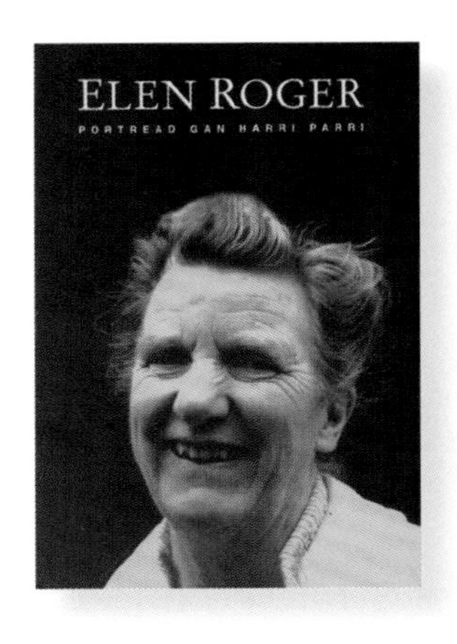

gyda phobl ar adegau dwys: y cwestiynau'n fflyd ac atebion ddim yn cyrraedd. Wedi oes o athrawiaethu a cheisio dehongli, gadael y pregethu a'r dadansoddi i eraill. A mawr obeithio y byddai hanes y camau gweigion a gymerais a'r methiannau a fu yn mynd yn angof gyda'r blynyddoedd. At ei gilydd, osgoi hefyd fywgraffiadau o unigolion. Neu, ble byddai dyn yn dechrau arni? Gadael i bentwr lluniau adrodd y straeon hynny pan fyddai hynny'n bosibl.

Na, doedd yna ddim bwriad i sgwennu hunangofiant – pe medrwn i. Gyda'r blynyddoedd fe ddaeth cynigion hael a charedig i wneud peth felly. Meddai'r academydd a'r llenor D. Densil Morgan yn ei gyfrol *Dyddiadur America a phethau eraill*: 'Harri Parri, os ydych yn darllen y sylwadau hyn, beth am i chi fynd ati i lunio hunangofiant. Mae'r defnyddiau wrth law eisoes, yn eich cyfrol *Achub Lyfli Pegi*. Byddaf yn troi ati o bryd i'w gilydd o hyd er mwyn ail-fyw dyddiau dedwydd ieuenctid pan oedd y deyrnas fel petai yn gwawrio yn y Gymry Gymraeg ... a byddai'ch atgofion chi yn ddogfen werthfawr er mwyn deall darn o hanes Cristnogaeth ddiweddar Cymru – sy'n ymddangos mor bell yn ôl.' Wedi degawd o anufudd-dod bu sgwennu'r gyfrol hon o leiaf yn gyfle i sôn am yr un oes aur a'r gred 'bod bore braf gerllaw'. Eto, nid *hunan*gofiant mo hwn.

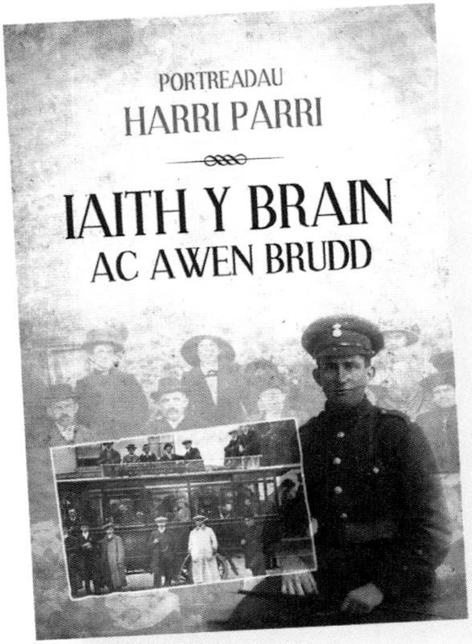

'A ddywedais i'r gwir?' gofynnodd Kate Roberts wrth gloi ei hunangofiant cofiadwy, *Y Lôn Wen*. Yna ychwanegu, 'Fe'm cysurais fy hun ei bod yn amhosibl dweud y gwir mewn hunangofiant. Gadewais y pethau anhyfryd allan.' Felly finnau yn y stori hon, ond bod fy stori i yn un llawer tlotach na'r un a ysgrifennodd 'Brenhines ein Llên' – eto, o bosibl, yn un siriolach.

Roedd *Iaith y Brain ac Awen Brudd*, a gyhoeddwyd yn 2008, yn fath o deyrnged i ddwy ochr fy nheulu. Ond nid *hunan*gofiant oedd y gyfrol honno chwaith. Yn hytrach, math o ddiolch am y rhai a fu, rhai roedd eu gwerthoedd a'u gwrhydri, eu diwylliant a'u direidi yn dal efo mi. Hwy a'm gwnaeth. Yn union fel y canodd y Prifardd Llion Jones ar achlysur dathlu trydedd jiwbilî adeiladu Capel Mynydd Seion, Abergele; ei dad unwaith yn weinidog yno a'r teulu gyda chysylltiad hir â'r eglwys:

> Mae ynof fwy na'r meini, mae ei phobl,
> Grym eu ffydd, eu gweddi
> A'u hadnodau'n dynodi
> Un rhan fawr o'r hyn wyf fi.

O fynd ati, o ran y dyluniad math o lyfr sgrap oedd

yn apelio ata i yn cynnwys straeon byrion, yn bennaf – nid y stori fer lenyddol, chwaith. Hepgor, os yn bosibl, gormod trwch o ffeithiau hanes, yn nodi'r union bryd a'r union fan. I ddyfynnu molawd doniol R. Williams Parry i'r Prydydd Hir hwnnw:

> Bu farw'n fethiant 'rôl byw'n fain,
> Ond nid yn 1789.

Yna, wedi cyrraedd talar resymol o ran hyd geiriau byddai'n rhaid dwys ystyried a fyddai'r cruglwyth straeon o unrhyw ddiddordeb i rywun arall. Fel y deudais i, hel meddyliau roeddwn i ar y pryd. Dim byd mwy na hynny.

Harri Parri
Y Gadlas, 2020

Dosbarth Ysgol Sul David Jones, Caerddunod, Llanfihangel Glyn Myfyr, Gorffennaf 1974.

Dringo i Uwchaled

Yn nechrau'r Chwedegau doedd hi ddim yn hawdd i fyfyriwr fel fi gael y cyfle i fod yn weinidog. Ar y pryd roedd yna dros 700 o weinidogion ar lyfrau'r enwad, yn cynnwys nifer, gweddol fychan bryd hynny, o rai wedi ymddeol – mwy o lygod, wir, nag oedd yna o dyllau. Fodd bynnag, pan oedd chwe blynedd o goleg ar gilio roedd yna dair cynulleidfa wledig yn Uwchaled (ble bynnag roedd lle felly) yn chwilio am fugail ac am ddechrau o'r gwaelod i fyny. Yr eglwysi oedd Cefn Nannau yn Llangwm, Tŷ Mawr yng Nghwm Penanner a Maes yr Odyn yn Llanfihangel Glyn Myfyr. A defnyddio un o dermau'r cyfnod, mynd yno 'ar braw' fyddai'r cam cyntaf.

Harri Gwilym Parri, fel yr ymddangosodd yr enw a'r llun yn rhaglen y Cyfarfod Sefydlu.

'Ac yn y fan'

Bore fy 'mhregeth braw' bu bron i'r ardal golli gweinidog yn hytrach nag ennill un. Ro'n i wedi teithio o Lŷn mewn cerbyd benthyg; un fy nhad yng nghyfraith. Bryd hynny, roedd fan Morris Oxford yn foldew braidd i ffyrdd culion, troellog, cefn gwlad.

Wyn Evans, a aeth â phetisiwn 'Ban the bomb' i Moscow.

Wedi i mi droi o'r Holihed, yr A5 felly, am Langwm a chroesi pont gul, gefngrwm daeth beiciwr i'm cyfarfod, fel o unman, ac ymwthio'i ffordd rhwng y gwrych a'r fan – cyn brecio.

'Dach chi'n iawn?' holais.

'Ydw, diolch. Chi 'di'r stiwdant sy yma ar braw, debyg?'

'Ia.'

'Fi sy'n gofalu am yr Annibynwyr yn y cylch yma.'

Roedd y Parchedig Wyn Evans ar ei ffordd i bregethu i un o'i ddiadelloedd, naill ai yng Ngherrigydrudion neu ym Mhentrellyncymer, ac wedi ymdroi'n ormodol, o bosibl, cyn cychwyn i'w gyhoeddiad.

Neidiodd yn ôl i'r cyfrwy gan weiddi dros ei ysgwydd, 'Bendith! A gobeithio y cawn ni gyfle i gydweithio.' Ac fe gawsom.

Gyda llaw, roedd y gweinidog hwnnw a feiciodd ei ffordd rhwng y gwrych a'r fan i grwydro ymhellach o lawer na hynny. 'Minister Goes to Moscow' oedd pennawd y *Denbighshire Free Press* naw mis yn ddiweddarach. Yna ychwanegu, 'The Rev. Wyn Evans, minister of four Congregational churches in this area, set off yesterday (Thursday) with three others from London on the first stage of a trek to Moscow to present a "Ban the bomb" petition at the

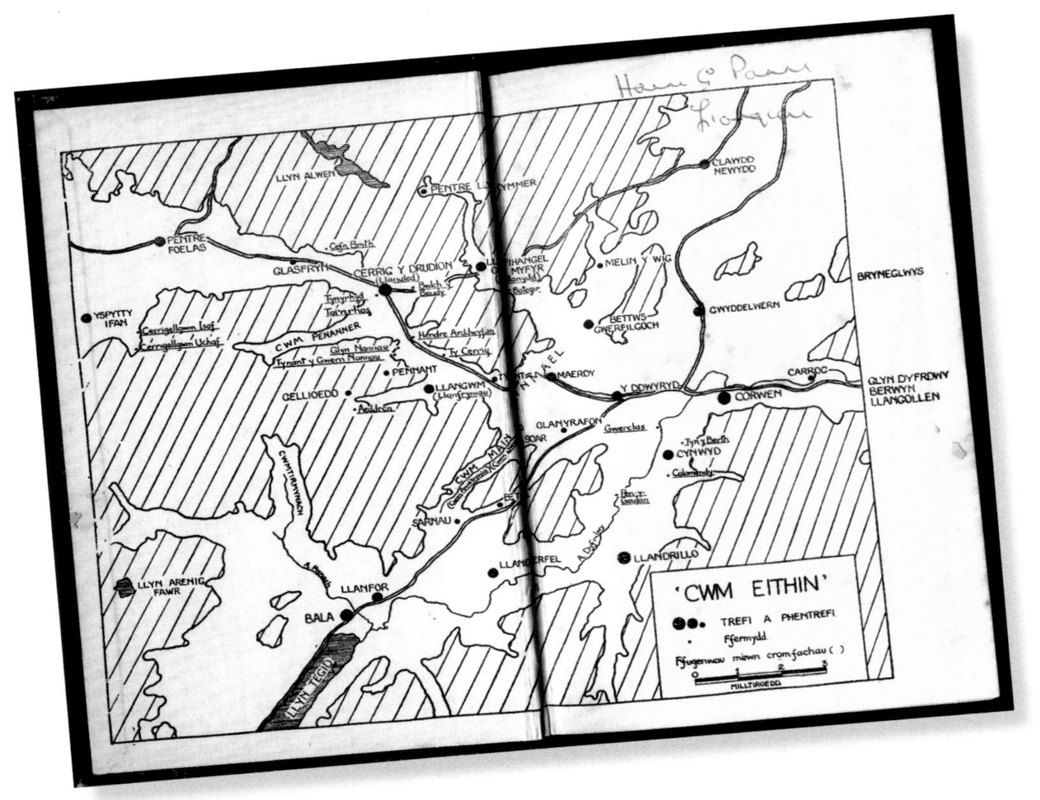

Uwchaled fel y'i gwelir yng nghopi Harri o *Cwm Eithin*, Hugh Evans.

Kremlin.' Dyna beth oedd crwydro ymhell a digon o ffydd i gredu y byddai symud mynyddoedd yn bosibl. Yn nes ymlaen, ymfudodd i weinidogaethu yn ne Cymru cyn dychwelyd i Lanbryn-mair yn y diwedd, lle bu ei dad yn weinidog; y ddau, fel ei gilydd, yn heddychwyr o argyhoeddiad.

Wrth ddrws Capel Cefn Nannau roedd yna ddau neu dri o ddynion yn swatio rhag yr oerni ac yn cael eu mygyn olaf, yn fath o gysur cyn camu i ffurfioldeb yr oedfa. 'Ac yn y *fan* canodd y ceiliog,' meddai un ohonyn nhw, yn siriol groesawus, a phwyntio at y Morris Oxford. O leiaf roedd yno un a oedd yn gyfarwydd â'i Feibl a chanddo, yn ogystal, ddawn i chwarae ar eiriau.

Ienctid oedd 'mhechod

Y testun siarad wedi'r bregeth oedd fy ieuengrwydd i, o ran pryd a gwedd felly, a pharodd yn bwnc trafod am weddill y dydd – yn llawer mwy na'r bregeth. Byddai'n cymryd pum mlynedd arall i John Rowlands gyhoeddi'i nofel fentrus, *Ienctid yw 'Mhechod*, ond felly y teimlwn i y Sul tyngedfennol hwnnw. Un o anhepgorion ymgeisydd am y weinidogaeth, bryd hynny – hyd yn oed o flaen unrhyw hyfforddiant mewn diwinyddiaeth – oedd bod golwg dyn wedi sadio arno a'i fod o, os yn bosibl, yn dechrau magu bol, yn moeli peth ac yn edrych yn hŷn na'i oed.

Wedi'r oedfa ddau o'r gloch yn Nhŷ Mawr y bu'r unig sail i mi obeithio. Roedd a wnelo hwnnw hefyd â fy ieuengrwydd i: dau o'r blaenoriaid, Rhobet

DYDD GWENER, AWST 5, 1960

Cyfarfod Sefydlu Mr Harri G. Parri

…n TREBOR JONES

…Vener, Gorffennaf 29, a …efn Nannau Llangwm yng- festri yn orlawn, bu cyfar- …dlu Mr Harri G. Parri yn … ar eglwysi Llanfihangel …langwm a Ty Mawr. Llyw- … y cyfarfod gan Mr J. E. … Bala, llywydd Henaduriaeth … Meirionnydd.

… gweddi fer gan y llywydd, … emyn 509. Darllenwyd rhan …rythur gan ffrind coleg i Mr … sef y Parch. Robin Wyn …, Brithdir, a gweddi gan Mr … Morgan, Llangwm. Wedi …emyn 212, cyflwynwyd y gwein- …ar ran Henaduriateh Lleyn ac …ydd gan lywydd yr Henadur- …, y Parch. T. Idan Williams, …och. Gweinidog eglwys Smyr- …Langiau, lle magwyd Mr Parri. …. Idan Williams yn adnabydd- …c yn fawr ei barch yn yr ardal- … hyn, wedi treulio rhai blynydd- … yn weinidog eglwysi Dinmael a …rafon. Tystiodd nad oedd gan- …ef na'r Henaduriaeth ddim cyw- …d o gyflwyno Mr Parri. Bachgen …anc ardderchog ymhob ystyr. Ef- …ydd da a dygn. Cafodd yrfa …egawl ddisglair. Yr unig un ag … oedd ef ei hun, neb arall a dim …heuaeth am ei yrfa, oherwydd ei … ai gymeriad hyfryd. Llong fawr …dd yn cael ei gyflwyno ichwi, …archwch a gwnewch yn fawr …hono.

Cyflwynwyd ef ar ran Eglwys …myrna gan Mr G. Ifor Evans. Est-

…ynodd longyfarchiadau eglwys Smyrna iddo am ei lwyddiant di- …weddar yn ennill y radd o B.D. Cefndir ei gartref yn ei wneud yn gymeriad ardderchog. Pan yn ieuanc yn y capel, annodd fyddai ei gadw yn llonydd. Er mai fferm oedd ei gartref, llyfrau a phregethu oedd ei ddiddordeb. Erwau llenyddiaeth a barddas yn galw mwy nag erwau'r pridd. Dyma ddeunydd llenor, ac …

Gan

Y PARCH. ISLWYN MORGAN

Oddeutu wyth mis yn ôl estyn- nodd aelodau Eglwysi M.C. Llanfi- fihangel G.M., Llangwm a Chwm- penanner alwad unfrydol i Mr. Harri Gwilym Parri, B.A., B.D., brodor o Langian yn Llŷn a myfyriwr yng Nghholeg Aberystwyth, i ddod i'w bugeilio.

Llawenydd mawr i'r eglwysi fu derbyn gair cadarnhaol ganddo, ac er yr amser hynny bu disgwyl eidd- gar am ei ddyfodiad i'r cylch. Da gennym feddwl bod y disgwyliadau hynny erbyn hyn wedi eu bodloni'n llawn.

Bu paratoi dyfal a phrysur go- gyfer â'r Cyfarfod Sefydlu, ac fe'i cynhaliwyd yng Nghapel y Cefn Llangwm nos Wener diwethaf, Gorffennaf 29. Am hanner awr wedi pump yr oedd gwledd ardd- erchog wedi ei pharatoi gan chwi- orydd caredig yr eglwys yn y neu- add gerllaw y capel a mawr yw ein diolch iddynt am baratoad mor rhagorol a'r fath sirioldeb wrth y byrddau i dyrfa mor fawr a ddaeth ynghyd.

Llanwyd y capel ymhell cyn amser dechrau, a bu raid i lawer wrando o'r festri a'r ddau gyntedd.

Dechreuwyd yn brydlon am 7 o'r gloch pryd y llywyddwyd gan Mr J. E. Anwyl, Y Bala (llywydd Hen- aduriaeth Dwyrain Meirionnydd). Llywiodd raglen faith yn ddoeth a deheuig. Wedi canu emyn darllen- wyd rhan dethol o'r Ysgrythur gan y Parch. R. Wyn Griffith, y Brith- dir ac arwain ymhellach mewn gweddi gan y Parch. Islwyn Mor- gan. Yna canwyd yr emyn mawr- … Iesu Bendigedig' ac

ef hefyd yn llywydd yr Henadur- iaeth. Siaradwyd ar ran ei fam- eglwys yn Smyrna, Llangian gan Mr. Ifor Evans. Dygasant wrogaeth uchel i gymeriad Mr. Parri a'i am- rywiol ddoniau disglair, gan ddym- uno'r gorau iddo yn ei faes gwein- idogaethol cyntaf.

Cyflwynodd Mr Evans hefyd siec iddo ar ran ei fam-eglwys, fel am- lygrwydd o'u dymuniadau da.

Ar ran athrawon y Coleg, cyf- lwynwyd geiriau dethol gan y Dr. Buck Knox, M.A. Hyfryd oedd ei wrando'n traethu mewn Cymraeg gloew ar ôl meistroli'r iaith mewn amser byr. Galwyd ymhellach ar ddau o'i gyd-efrydwyr i ddweud gair, sef Mr. R. J. Evans, Llangian a Mr. Emlyn Richards, B.A., Bot- wnog. Tystiodd y naill a'r llall gyfeillgarwch cywir ac ysbryd rhag- orol y gweinidog newydd.

Yna fe aed ymlaen gyda'r ddefod sefydlu dan arweiniad y llywydd. Wedi darllen y datganiad holwyd … cwestiynau a chaed atebiad pend- ant i bob un. Tystiwyd yn glir … reoleidd-dra yr alwad gan ysgrif- ennydd yr Henaduriaeth, a chad- arnhawyd yr alwad o dŷ'r gweinid- og a'r eglwysi.

Gwaith pellach y cyfarfod oedd … croesawu. Gwnaed hyn ar ran Henaduriaeth Dwyrain Meirion- nydd gan yr ysgrifennydd y Parch. Brothen Jones, B.A., B.D. Corwen. Gallai sicrhau y cawsai Mr. Parri garedigrwydd mawr gan eglwysi a aelwydydd yr Henaduriaeth. Myn- egwyd yr un croeso mewn geiriau dethol ar ran y Cyfarfod Dosbarth gan y Parch. Alun Williams, Bet- tws G.G. Teimlai'n falch o gael croesawu gweinidog ieuanc i gylch y Cyfarfod Dosbarth.

… o groeso cynnes

Jones, Pentre Mawr, yn dweud wrth Morris Jones, Cwmein, ar draws lled y sêt fawr – heb ystyried 'mod i o fewn clyw – 'Choelia i ddim, Morris Jones, na 'neith y bachgen 'ma'r tro i ni.' Dyna beth oedd y sail i obaith.

Capel Cefn Nannau, Llangwm.

Yn niwedd Gorffennaf y bu'r Cyfarfod Sefydlu a chefnogwyr caredig wedi teithio yno o Lŷn, fel o sawl man arall. Bu'n brofiad dyrchafol, un o groesi llinell derfyn fel petai, a chyrraedd nod. Daeth fy ngweinidog yno, T. Idan Williams, yr un a'm meithrinodd yn y Ffydd drwy sgwrs a phregeth. Yn ogystal ag Ifor Evans, 'Ifor Nant', ffarmwr a blaenor yn Smyrna, Llangïan, yr eglwys fechan lle teimlais i alwad gynyddol i fentro i'r cyfeiriad – pe medrwn.

Yr unig gwmwl yn y ffurfafen i mi y noson honno oedd na chafodd fy nhad fyw i fod yno; byddai, mi dybiwn, wedi bod yn ddistaw falch. Bu farw y flwyddyn flaenorol wedi gwaeledd hir. Gwahanol oedd barn Mam, a oedd yn bresennol. O'r dechrau un awgrymodd y byddai'n well ganddi hi petawn i yn dewis llwybr gwahanol. Fy anaeddfedrwydd i, mae'n debyg, oedd y rheswm am hynny. O bosibl fod y driniaeth a gafodd ei gweinidog hi ei hun gan rai o'i braidd, a hithau'n ifanc bryd hynny, yn rheswm arall.

Yn y Chwedegau roedd gweinidogion yn ddwsin am ddimai; yn sathru traed ei gilydd – yn llythrennol felly ar dro. Ar sail eu doniau, neu brinder doniau, fe'u gosodid mewn un o ddau ddosbarth: y 'pregethwr mawr' a'r 'pregethwr at iws gwlad'. Nid na allai pregethwr at iws gwlad fyw mewn tref. Byddai'r cyntaf o'r ddau yn crwydro'r wlad yn ei morio hi mewn cyfarfodydd pregethu a'r dosbarth arall yn gyfyngedig, mwy neu lai, i gylch ei ofalaeth a'r wlad oddi amgylch. Oherwydd y cymaint trwch a phrinder cyfleoedd roedd pregethu'r Gair yn dal yn gystadleuaeth yn fy nghyfnod i. 'Dyn y llyfr bach' – yr un a estynnai'r gwahoddiad i bregethwr – yn gwneud y dewis a'r gwrandäwr yn ei sedd, wedyn, yn rhoi'r marciau ar sail y perfformio. Wrth gwrs, roedd y peth yn ei anterth ymhell cyn fy ngeni i. Meddai R. Tudur Jones yn *Ffydd ac Argyfwng Cenedl*, y gyfrol gyntaf: 'Ond cyrhaeddwyd y gwaelod pan drefnodd *Y Cymro* [yn 1897] gyda phum punt o wobr i'r sawl a allai ddyfalu'n gywir pa bum pregethwr a ddeuai ar ben y rhestr mewn pleidlais bost ymhlith y darllenwyr.'

Serch popeth, y dechrau Awst hwnnw cafodd y digwyddiad sylw cryno yn *The Denbighshire Free Press,* y papur lleol: 'Bu paratoi dyfal a phrysur gogyfer â'r Cyfarfod Sefydlu, ac fe'i cynhaliwyd yng Nghapel y Cefn nos Wener ddiwethaf, Gorffennaf 29. Am hanner awr wedi pump yr oedd gwledd ardderchog wedi ei pharatoi gan chwiorydd caredig yr eglwys yn y neuadd gerllaw'r capel a mawr yw ein diolch iddynt am baratoad mor rhagorol a'r fath sirioldeb wrth y byrddau i dyrfa mor fawr a ddaeth ynghyd. Llanwyd y capel ymhell cyn yr amser dechrau, a bu raid i lawer wrando o'r festri a'r ddau gyntedd. Dechreuwyd yn brydlon am 7 o'r gloch.'

Ar y noson, un peth cofiadwy oedd Dr R. Buick Knox, fy athro hanes yn y coleg – Gwyddel a ddysgodd Gymraeg – yn cyfarch y saint. Yn ôl llythyr a anfonodd ataf ddeugain mlynedd union yn ddiweddarach o 26 Killicomaine Drive, Portadown, County Armagh, bu'n noson eithriadol gofiadwy iddo yntau:

Yr Athro R. Buick Knox yn Aberystwyth ddiwedd y 1950au.

> Your ministry is a long story from the day of your Induction in Llangwm when you were given a great welcome. I was privileged to be present and I ventured to make my first address in Welsh. People gave it great reception, some standing and waving their orders of service. It was an unforgettable day in my life.

Arhosodd un stori am fy ieuengrwydd i nes dod yn rhan o chwedloniaeth 'pobol y tir uchel'. Caf fy atgoffa amdani yn gyson pan ddychwelwn ni i'r fro. Erbyn hynny, roedd Nan a minnau wedi hen setlo yn Fron Dirion, tŷ ar godiad yn edrych i lawr ar bentref

Llanfihangel Glyn Myfyr, ac afon Alwen.

Llanfihangel Glyn Myfyr. Adeg Cyfrifiad 1961, gan nad oedd yna fawr neb arall ar gael, cytunais i roi help llaw. Fel Lot yn nyddiau'r Beibl roedd yr ysgolfeistr, John Smith, wedi dewis y tir da, hawdd ei gerdded – pentref Llanfihangel a glannau afon Alwen – a'm hanfon innau i fyny dros Fotegir i gyfeiriad Melin-y-wig a Betws Gwerful Goch.

Gelwais yn un o'r ffermydd a rhoi'r ffurflen hollbwysig yn nwylo'r gŵr a ddaeth i agor y drws i mi gan ei siarsio i'w llenwi'n brydlon. Gwasgodd yntau hi'n belen gron a'i gwthio i afl clamp o gi tsieina a eisteddai ar ei golyn ar gornel y dresel.

'Steddwch!'

‘Diolch.’

‘O ble dech chi’n dod?’

‘O Lanfihangal,’ a’r dafodiaith yn fy mradychu.

‘Llanfi’ngel? Nabod pawb fan’ny. Ble dech chi’n byw yno?’

‘Fron Dirion.’

Daeth syndod i’w lygaid, ‘Ond tŷ’r gwnidog ydi hwnnw!’

‘Ia.’

Am rai eiliadau, clywn olwynion ei ymennydd yn rhydu troi. Yna, ychwanegodd, ‘Ro’n i wedi gweld yn y *Free Press* bod ’na wnidog newydd wedi cyrraedd. A sut ma’ch tad?’

Mae yna stori gyffelyb arall ar gerdded, fod yna un o’r ardalwyr wedi iddo fo fy nghyfarfod i am y waith gyntaf – a’n dau yn estroniaid i’n gilydd – wedi

‘Fron Dirion? Ond tŷ’r gweinidog ydi hwnnw!’

gofyn imi, gyda phob didwylledd ac yn nhafodiaith y fro, 'Ac i ba ysgol 'ti'n mynd, wa'?' Serch ei bod hi yn stori a allasai fod yn wir does yna ddim sail iddi.

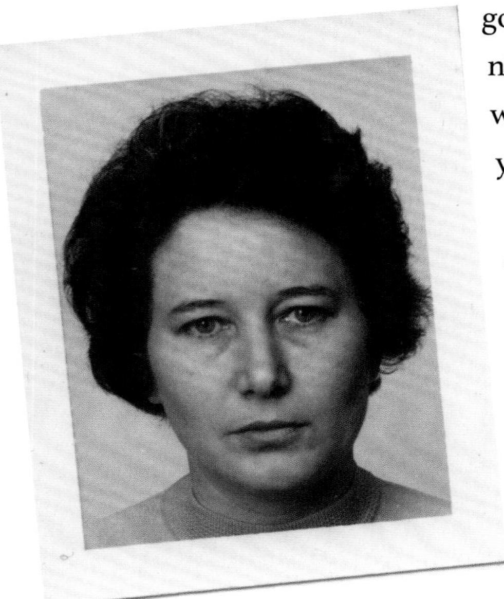

Nan. Pleidlais y Cadeirydd a wnaeth y briodas yn bosibl!

Wrth ddechrau ar waith y weinidogaeth mewn ardal wasgaredig roedd yna ddau o hanfodion, beth bynnag am anhepgorion. Un oedd gwraig. Roedd y mater hwnnw wedi ei setlo eisoes, ddwy flynedd ynghynt, ym Mehefin 1958. Byddai Fron Dirion, a'i wal frics sengl, wedi bod yn oerach fyth i hen lanc. Yn wir, wedi priodi neu beidio, bu'n ddigon oer i botel ddŵr poeth rewi mewn gwely yno yn ystod gaeaf enbyd 1963. Gwell i mi atodi mai gwely sbâr oedd o!

A sôn am gael gwraig, mae hi'n syndod meddwl mai bryd hynny un o bwyllgorau'r enwad – nid eu serch at ei gilydd – oedd yn penderfynu a fyddai myfyriwr fel fi yn cael priodi neu beidio. Fe'm galwyd gerbron math o chwilys, a'm croesholi'n dwll am faterion moesol ac ariannol: math o gael dyn yn euog i ddechrau ac ystyried yr achos wedyn. O wrando ar yr awr o gwestiynu a fu, byddai dieithryn yn tybio fod yna fabi ar fin cyrraedd os nad wedi landio'n barod! Yn wir, cyfartal oedd y bleidlais ar y terfyn. Pleidlais fwrw'r cadeirydd a aeth â'r maen i'r wal a gwneud y briodas yn bosibl.

Yr hanfod arall oedd cludiant. Yn ôl a blaen rhwng ein cartref ni yn Llanfihangel a'r tŷ ffarm pellaf yng Nghwm Penanner, Blaencwm, roedd yna bedair milltir ar ddeg. Taith bell – a phellach na hynny ar eira.

Camp Issigonis, ar wahân i fedru sillafu'i enw'i hun, oedd creu math o gar newydd ar gyfer teuluoedd cyffredin eu byd, a chywasgu'r hanfodion i ychydig. Dyfeisiwyd hysbyseb a werthodd geir wrth y miliynau: 'Happiness is Mini-shape'. Yn eironig iawn, roedd yr hysbyseb honno yn fath o ddameg o natur fy ngweinidogaeth innau yn fy ngofalaeth gyntaf. Eto, o edrych yn ôl, fyddwn i ddim wedi dymuno cael torri'r gŵys gyntaf yn unman ond yn Uwchaled. Er nad fi gafodd y cynnig cyntaf.

'Yn wyn ei awydd, ond gwan ei ewin'

Wrth fudo o Lŷn i Uwchaled, a theithio'r rhimyn hir o ffordd agored yna sydd rhwng Pentrefoelas a chyrion pentref Cerrigydrudion – a'r 'ddu, oer ddaear wleb' ar y chwith i ni – y moelni a'm trawai. Eto, mor bell ag roedd crefydd yn y cwestiwn roedd gwell graen ar bethau yn y fro newydd nag oedd yna yn y fro y'm magwyd i ynddi.

Wedi ymsefydlu, dyma benderfynu cyhoeddi cylchgrawn misol yn enw'r tair eglwys a'i alw *Yr Ysgub*. Doedd cyhoeddi deunydd o'r fath ddim yn eithriad ond yn fentrus a newydd i eglwysi bychain yng nghefn gwlad. Ei ddeunydd oedd cofnodi'r gweithgarwch a fu a hysbysu beth oedd i ddŵad. Roedd iddo bwrpas cenhadol hefyd. Nan fyddai'n cysodi a'r ddau ohonom, wedyn, yn argraffu. Cyn dyfod trydan gwladol roedd honno'n dasg a hanner: troi handlen dyblygwr hen ffasiwn ac argraffu'n araf fesul tudalen am hanner diwrnod. Gan fod yr inc mor llifeiriol, ac annileadwy, aeth sawl dilledyn yn aberth. Aeth y cylchgrawn ar gerdded, gyda galw am gopïau tu allan i aelwydydd yr eglwysi a chefais innau wahoddiad i fynd i Fanceinion i drafod y bwriad ar raglen deledu – un Gymraeg.

Yn naturiol, wrth agor ei gŵys gyntaf roedd gan ddyn ei bryderon. Fy naïfrwydd i, mae'n debyg, oedd un o'r llyffetheiriau, petawn i'n ddigon gwylaidd i gydnabod hynny, a phrinder hyfforddiant ymlaen llaw oedd y llall. Mor bell ag roeddwn i yn y cwestiwn, ar academiaeth y bu'r pwyslais.

Ychydig cyn fy nghyfnod i, ar derfyn y cyrsiau addysg byddai blwyddyn gyfan o hyfforddiant

Coleg Diwinyddol Aberystwyth yn niwedd y 1950au. Finnau ar dde eithaf y drydedd res, heb dei!

ymarferol yng Ngholeg y Bala. Daeth hwnnw i ben. Gwrando ar ambell ddarlith, yn ysbeidiol, am waith y weinidogaeth oedd y drefn wedi hynny. Fe'm dysgwyd i, er enghraifft, mai ar drydydd bys llaw chwith y briodferch y dylid rhoi'r fodrwy ac mai'r priodfab, nid y gweinidog, a ddylai wneud hynny. Er i un gweinidog ifanc y clywais i amdano, o ddiffyg profiad, weithredu'n wahanol: modrwyo'r briodferch a chreu stori a esblygodd yn chwedl. Ond pwy ydw i, a anghofiodd y fodrwy ar ddydd ei briodas ei hun, i hel straeon am neb?

Mor bell ag roedd bedyddio babanod yn y cwestiwn wedyn, fu fawr mwy o hyfforddiant na'n dysgu ni ar ba ben i'r babi y dylid rhoi'r dŵr. Dim gair am y pwysigrwydd o roi enwau'r plant yn daclus ar ddarn o bapur ymlaen llaw ac yna eu bedyddio yn y drefn briodol.

'Emlyn, rwy'n dy fedyddio di ...' Hwn oedd y tro cyntaf i mi weinyddu'r Sacrament o Fedydd.

Cydio wedyn yn yr ail fabi a'i godi o i'm côl, 'Emrys, rwy'n dy fedyddio dithau ...'

Pan oeddwn yn dabio'r dŵr ar dalcen y plentyn cyntaf sylwais ar nain y babi hwnnw yn ysgwyd ei phen, a gwneud siâp ceg, ond peth anodd a chlamp o faban o dan eich cesail ydi darllen gwefusau neb.

Ar y pryd roedd y gynulleidfa i'w gweld yn mwynhau'r gwasanaeth yn fawr gyda gwên ar wyneb sawl un. Dylwn, mi ddylwn fod wedi gwneud mwy o ymdrech i ddarllen y siâp ceg cyn rhoi blaen fy mys yn y dŵr bedydd. Yn rhyferthwy'r foment, roeddwn i wedi camenwi'r ddau: wedi bedyddio Emrys yn Emlyn ac Emlyn yn Emrys.

Ar derfyn y gwasanaeth bu cryn drafod. Barn un o'r teuluoedd oedd y dylid cael rhagor o ddŵr tap – serch ei bris – ac ailfedyddio, a'r teulu arall yn amharod i oedi a mynd trwy'r un broses unwaith yn rhagor. Dadl y gynulleidfa oedd bod amryw ohonyn nhw angen

Ysgol Sul Llangwm yng nghanol yr eira.

mynd adref i odro i gael dychwelyd i oedfa'r hwyr. O sylweddoli fod enwau'r plant eisoes wedi'u cofrestru yn unol â deddf gwlad penderfynais fynd gyda'r llanw. A pheth arall, roedd yr Hollalluog yn nabod y ddau, wrth eu henwau, ac yn ymwybodol iawn, diolch fyth, o'm meidroldeb innau.

Y cloc oedd yn tician – unwaith

Pan gyrhaeddais i un Cyfarfod Plant, fel y'i gelwid, roedd cloc a fu'n hongian ar wal y festri yn gorwedd ar lin un o'r cybiau, ei wydr wedi cracio, ei fysedd wedi camu a darnau o'i berfedd yn hongian allan. Un o'r merched, druan, oedd yn cael y bai. Nid hi oedd ar fai. Ar ei glin hi, druan, y disgynnodd y cloc cyn powlio i'r llawr wedyn. Math o ddiweddariad o stori Daniel Owen yn *Rhys Lewis* oedd y digwyddiad hwnnw: y gweinidog newydd yn cyrraedd yn hwyr i'r

Cyfarfod Plant a'r plant wedi mynd i ymhél â'r cloc. Erbyn i mi gyrraedd roedd y plant i gyd yn syber a thawedog ryfeddol.

'Ylwch, dw i ddim isio gwybod be' ddigwyddodd. A gawn ni weld be' sy'n bosibl. Iawn? Mi 'nawn ni i gyd gadw'r peth yn gyfrinach.'

Yn rhifyn 9 Mehefin 1964 o'r *Cyfnod*, wythnosolyn y Bala a'r cylch, roedd yna adroddiad am 'Ambell i Sgwrs ac Ambell i Gân' a gynhaliwyd am wyth yr hwyr yng Nghapel Jerwsalem, Cerrigydrudion, ac yn cloi gyda'r sylw: 'Daeth cynulleidfa fawr ynghyd a'r mwyafrif o'r gynulleidfa yn bobl ifanc.' Cofnododd Elfyn Richards hanes y cyntaf o'r cyfarfodydd hynny yn *Ŷd Cymysg*, cyfrol a oedd yn gasgliad o ryddiaith a barddoniaeth pobl y fro, a gyhoeddwyd yn 1964: 'Yn gyntaf rhaid oedd dewis enw i'r gwasanaeth. Penderfynasom ar "Ambell i Sgwrs ac Ambell i Gân". Ond tybed a fyddai pobl ifanc yn barod i droi allan i oedfa arbrofol, wahanol, am chwarter wedi wyth ar nos Sul? Cofiaf y noson gyntaf yn dda. Chwarter awr cyn amser dechrau dyma gychwyn am gapel Jerwsalem yng Ngherrigydrudion. Nid wyf yn cofio Sul tebyg iddo, gwynt a glaw mawr drwy'r dydd. Nid oedd y tywydd wedi gwella dim. Er mawr syndod imi, pan gyrhaeddais y gorlan foduro, gwelwn ei bod yn llawn. Cododd fy nghalon ac euthum yn ffyddiog iawn i'r festri. Edrychais drwy gil y drws i'r capel. "Y Tŷ yn llawn!" Deil addoldy Jerwsalem dri chant a hanner o bobl. Llawn y bu'r gwasanaethau bob tro.'

Bu plant y wlad yn driw iawn i'w haddewid. Yn wir, fe gymerodd hi hydoedd i neb o'r aelodau sylwi fod y cloc yn absennol o'r cyfarfodydd. Mae'n debyg y byddai plant Caernarfon, y Cofis – mewn blynyddoedd diweddarach – wedi llwyddo i wthio perfedd y cloc yn ôl i'r cas a'i hongian o yn ôl ar y pared ymhell cyn i'r gweinidog gyrraedd. Yna, llwytho'r bai am yr olwg a oedd arno ar gyflwr yr hoelen a'i daliai. Erbyn deall, ar yr hoelen roedd y bai yn y lle cyntaf.

"Me sell you nice carpet, yes . . .?

Yn wyneb y cloc briwedig roedd enw a chyfeiriad siop ym Mhenbedw, o bobman, oedd yn gwerthu clociau a phethau cyffelyb. Heb yngan gair wrth neb penderfynodd Nan a minnau fynd ag o yno i weld a oedd cymorth yn bosibl.

'Me sell no clocks.' Tramorwr, yn ôl ei bryd a'i wedd a'i dafodiaith, a gadwai'r siop yn Birkenhead erbyn hynny. 'Me sell you nice carpet, yes?'

Casglu ynghyd y darnau briw a oedd ar gownter y siop honno ym Mhenbedw fu rhaid i ni, dychwelyd a datgelu peth o'r hanes i'r blaenoriaid – fesul briwsionyn. Yna, caed arbenigwr lleol i wthio perfedd y cloc yn ôl i'r cas, unioni'r bysedd, rhoi gwydr newydd yn wyneb iddo a'i gael i dician yn sionc unwaith yn rhagor.

Clefyd a lynodd gydol oes

Yn ystod y cwta bum mlynedd y bûm i yn ucheldir Uwchaled y cydiodd y diddordeb mewn gweithio gyda phlant a phobl ifanc; clefyd a lynodd wrtha i gydol oes. Bryd hynny, roedd y ffiniau'n wahanol, gyda phobl ifanc yn cael eu clustnodi'n blant nes cyrraedd pymtheg oed neu ragor ac yn dal yn bobl ifanc yn eu tridegau hwyr.

O ganlyniad, roedd y bobl ifanc a ddeuai i'r cylchoedd trafod yn hŷn na'u gweinidog ac yn sicr yn fwy hengall. A gweinidog yn syth o'r ffowndri yn mynnu trafod efo nhw weithiau Bultmann a Søren Kierkegaard, Simone Weil a Pierre Deilhard de Chardin; hynny gyda phobl â'u cyffes ffydd yn nes i'r pridd ac yn llawer mwy gweithredol. A bu sawl gweithgarwch arall. Erbyn meddwl, roedd Elfyn Richards, ffrind coleg i mi a ddaeth yn weinidog i'r fro yn 1961, un o'r Ponciau (ond i chi beidio â gofyn lle mae Ponciau) yn byw yn nes i'r pridd. O leiaf, roedd o'n bêl-droediwr o fri, a chicio pêl yn fwy at ddant y cybiau ifanc na thrafod athrawiaeth yr ymwacâd yn ôl John Calfin, dyweder.

Elfyn Richards, pêl-droediwr rhagorol.

Credwn ar y pryd – a byth er hynny, wir – y dylai plant a phobl ifanc, mor bell ag mae'r Ffydd Gristnogol yn y cwestiwn, gael pob cyfle i deithio ac

i ehangu eu profiadau. O'r herwydd, yn nechrau'r Chwedegau fe anfonwyd pump o bobl ifanc o'r fro i gynllun profiad ffydd a gwaith a gynhelid o dan nawdd Eglwys Bresbyteraidd yr Alban. Eglwys Killearnan, Muir of Ord, uwchben Beauly Firth, heb fod ymhell o Inverness, oedd y ganolfan a'r mans yn lle i gysgu. Ar y pryd, i rai na fu o'r blaen ymhell iawn o'u cynefin, roedd teithio dros 400 milltir mewn car dros gefnffyrdd prysur a diarth yn sicr yn brofiad i'w gofio. Pan stopiwyd y car ar gyrion Inverness i holi'r ffordd a chlywed y gair Ross-shire, enw'r sir (neu'r Aeleg amdani hwyrach, *Siorrachd Rois*) tybiodd un o'r hogiau eu bod nhw wedi cyrraedd Rwsia.

Roedd cicio pêl yn fwy at ddant y cybiau ifanc na thrafod athrawiaeth yr ymwacâd efo gweinidog yn syth o'r ffowndri!

Dau o'r pump o bobl ifanc a aeth i'r Alban ar gynllun profiad a gwaith yn nechrau'r Chwedegau: William Lloyd Davies ac Aled Davies. Y ddau'n astudio'r map i ddod o hyd i'r hen lwybrau.

Deil William Lloyd Davies – prifathro ysgol, unwaith, a gŵr gweithgar ym mywyd gwleidyddol a chrefyddol Caernarfon erbyn hyn – i sôn am y profiadau a gafodd: 'Plant y wlad oedden ni a doedd y rhan fwyaf ohonon ni erioed wedi bod llawer pellach na Rhyl ar drip Ysgol Sul! Eto swil iawn oedden ni'r Cymry i drafod gan ein bod i gyd wedi arfer siarad Cymraeg yn yr Ysgol Sul. Chwedl Dafydd Iwan, "Cymraeg siaradai yr Iesu am a wyddwn i." Eto, dw i'n credu mai dyma, i'r pump ohonon ni, oedd yr egin i feithrin meddwl agored a goddefgarwch. Bu'n brofiad sydd wedi aros efo mi gydol oes.' Erbyn meddwl, mae'n bosibl na fu fy ieuengrwydd innau, ar y pryd, yn bechod i gyd.

Pobl y tir uchel

Barn y llenor, D. Tecwyn Lloyd, oedd bod pobl y tir uchel 'bob amser yn creu gwell a chlosiech cymdogaeth na chymdogion tir bras gwaelod gwlad'. Prun bynnag am hynny, roedd yna bobl garedig ryfeddol yn byw yn Uwchaled yn ystod fy mlynyddoedd i yno. Roedd y mart yng Ngherrig-ydrudion ar ddydd Llun yn lle rhagorol i glywed calon y fro'n curo. Oherwydd pobl y pridd, mewn rhyw ffordd neu'i gilydd, oedd trwch y bobl a'm gwahoddodd atyn nhw i'w bugeilio a phobl felly, at ei gilydd, oedd mynychwyr y mart.

D. Tecwyn Lloyd, beirniad llenyddol, llenor ac addysgydd. Roedd yn nai i Robert (Bob) Lloyd, Llwyd o'r Bryn, awdur *Y Pethe*.

Dyna'r ffarmwr hwnnw a ddaeth i'm cyfarfod un pnawn Llun a charedigrwydd yn llond ei wedd. 'Gwrandwch, giaffar,' medda fo, 'peidiwch â phrynu cig at y Sul.'

'O?'

'Ylwch, mi ddo i ag iâr yn bresant i'r wraig a chithau, wedi'i phluo'n barod. Fydd cig felly yn newid i chi.'

'Wel bydd, a diolch yn fawr iawn i chi.'

'Dim rhaid i chi. Ylwch, mi'ch gwela i chi o hyn i hynny,' ac i ffwrdd â fo.

Y mae yma [yn Uwchaled] undod â'r gorffennol. Ond mae yma hefyd egni bywyd, canys nid rhyw lawer o forbid-ymboeni chwaith a geir ynghylch y gorffennol hwnnw, er gwyched ydyw. Canys os yw Cymru i fyw, y mae owns o antur yn werth cant o draddodiad. Yn un o'r pwyllgorau a drefnai'r Eisteddfod, bu dadl ynghylch maint y babell y dylid ei chodi. Lle i bum cant oedd barn y mwyafrif – saith gant a hanner ar y mwyaf. Am a gofiaf, felly y pasiwyd. Ond ailgodwyd y mater; mynnai Arwel Evans, yr Is-Gadeirydd, y gellid yn hawdd lenwi pabell i fil o bobl. Rhywdro tua chanol cyfarfod y nos, Nos Sadwrn, cofnodwyd bod deunaw cant yn y babell. Heb yr ysbryd yna, byddai Cymru farw.

Digwyddodd yr ŵyl ar y Dydd Buddugoliaeth; damwain noeth oedd hynny. Yr oeddys wedi bwriadu i'r Eisteddfod gael ei chynnal y Dydd Sadwrn cynt, sef ar hen ddyddiad Eisteddfod Cerrig, ond bu raid newid am eleni. 'Dwn i ddim a oedd '*Victory Celebrations*' rywle yn y cylch Ddydd Sadwrn ai peidio – efallai bod. Prun bynnag, nid y dathlu, ond y fuddugoliaeth ei hun, a ddigwyddai yng Ngherrig; buddugoliaeth fyw a milwriaethus diwylliant cefn gwlad Cymru. 'Chlywais i neb yn sôn am Fontgomeri, ond yr oedd Tomos Prys ar y llwyfan; dim sôn am yr Wythfed Fyddin, ond nawddogwyd yr ŵyl gan Gymdeithas Addysg y Gweithwyr; dim eco am Churchill, ond cydiodd Tom Tŷ Du yn yr holl gynulleidfa wrth ddisgrifio'r 'Haint'. Dyna, wrth gwrs fel y dylai pethau fod.

— D. Tecwyn Lloyd, 'Eisteddfod Uwchaled', *Taliesyn* 1946

Bach oedd cyflog gweinidog ar y pryd. Hanner cyflog athro ysgol – i'r geiniog. Mi wyddwn i hynny gan fy mod i ar y pryd yn dysgu yn Ysgol Pentrefoelas – yn llenwi bwlch. Os oedd y cyflog yn fychan, mor bell ag roedd ymborth yn y cwestiwn roedd yr haelioni'n fawr. Yn arbennig felly pan fyddai hi'n amser lladd mochyn.

. . . yn ddiweddarach y daeth y trydan gwladol i'r fro.

Fe ddaeth hi yn nos Sadwrn a'r iâr heb gyrraedd. A ddaeth hi ddim o gwbl. Wn i ddim beth ddaeth i'r bwrdd cinio y Sul hwnnw. Doedd dim pwynt meddwl mynd i rewgell; yn ddiweddarach y daeth y trydan gwladol i'r fro. Roedd yno, fel yn amryw o bentrefi'r cylch, drydan lleol yn cael ei gynhyrchu gan li'r afon ond heb rym i ferwi fawr ddim mwy na dau wy. Chwarae teg iddo, fe ddaeth perchennog yr iâr ar draws fy llwybr i ym mart Cerrig y Llun canlynol yn llawn ymddiheuriadau.

'Rhaid i chi faddau i mi ...'

'Popeth yn iawn, siŵr. Ma' pawb ohonon ni yn anghofio weithiau.'

'Diawl, dim hynny.'

'O!'

'Nid anghofio wnes i. Sut deuda i? Coeliwch neu beidio, mi wellodd yr hen iâr at ganol yr wsnos a dyma benderfynu peidio â'i lladd hi. Wel, am y tro o leiaf. Cofiwch os bydd hi yn gwaelu eto ...'

Ymffrostai fod ganddo hosan go lew . . .

Mae'n debyg i'r iâr honno gael oes faith yn crafu a phigo yn ôl ei ffansi ar fuarth ei chartref a marw mewn henaint teg.

Yn ogystal, roedd hi'n fro faddeugar i weinidog ar ei brifiant. Ar bnawn Llun, yn y mart, y clywais i nad oedd Isaac Jones, Pen y Gaer, yn rhy dda ei iechyd. Penderfynais y byddwn i'n galw heibio iddo.

'Dach chi'n well, Isaac Jones?' holais.

'Nagdw,' oedd yr ateb a phwyntio at ei feingefn. Eto, i mi edrychai mewn symol iechyd. ''Nghefn i ydi'r drwg, medda'r doctor.'

'Ond ma' Sac am ddŵad hefo chi i Gynwyd dydd Sul,' meddai Laura Jones, ei briod.

'O?'

'I mi gael gweld fy nheulu, ylwch.'

'Fydda i'n falch iawn o'ch cwmni chi.'

Roedd Isaac Jones i'w weld yn frenin ar ei aelwyd a'i wraig, a chwaer ei wraig – a oedd yn gwbl fyddar, bron – yn tendio arno law a throed. Ymffrostiai fod ganddo hosan go lew, hynny ydi ei fod o'n weddol dda ei fyd, ond wyddwn i ddim a oedd hynny'n wir ai peidio.

'Dowch at y giât lôn 'ta,' awgrymais, 'erbyn hannar awr wedi naw bora Sul ac mi gawn ni gyd-deithio i Gynwyd. Mae'r oedfa gynta' am ddeg.'

'Diolch.'

Ar un ystyr, gwaith digalon ydi bugeilio cefn gwlad, oherwydd mae dyn yn cyfarfod â'i fethiannau yn feunyddiol. Serch hynny, rwy'n hynod falch fod pobl ieuanc y fro yn dal i siarad iaith gwasanaeth, ac i mi, dyna'r iaith sy'n dal yn ddealladwy a llwyddiannus. Mae myrdd o ieuenctid yn meddwl am yr Eglwys fel adeilad i fynd yno; chwarae teg iddyn nhw, dyna gred eu tadau, heb sylwi mai nhw ym Mart Cerrig ar bnawn Llun neu mewn cwmni ar ddiwrnod dyrnu ydi'r Eglwys. Tybed ein bod ni wedi gorbrisio'r Eglwys ar draul pregethu'r Deyrnas – taflu'r gneuen i ffwrdd a chynnig dim ond y plisgyn? Her sy'n aros ydi cyflwyno Teyrnas Iesu Grist yn iaith hogiau'r fuwch a'r tractor disyl. (Fel'na yr ysgrifennais i yn 1963 ar gyfer y gyfrol *Ŷd Cymysg*)

Y bore Sul canlynol roedd hi'n bwrw hen wragedd a ffyn. Yn hytrach na chymryd y ffordd gefn heibio i Ben y Gaer, fel y dylwn, i godi Isaac Jones, dyma ei hunioni hi drwy Gerrigydrudion ac ar fy mhen i'r A5. Dyna oedd fy arfer.

Does gen i'r un clem ymhle roedd fy nhestun i yng Nghynwyd y bore Sul hwnnw na faint oedd yn yr oedfa. Eto, dw i'n cofio'n dda iawn mai wrth roi'r daten gyntaf yn fy ngheg wrth fwrdd y sawl a'm croesawai i ginio – a hithau yn dal i arllwys fel o grwc – y cofiais i am fy nghyd-deithiwr, arfaethedig. A dyma godi oddi wrth y bwrdd yr awr honno.

'Os na fedar y bugel o bawb gadw at ei air . . .'

Pan gyrhaeddais i Ben y Gaer roedd Isaac yn eistedd wrth danllwyth o dân, yn llewys ei grys, a'i siwt Sul o ar gadair gyfagos yn stemio sychu yn y gwres.

'Sac wedi g'lychu at 'i groen,' meddai Laura Jones, a'i chwaer fel petai hi'n ategu hynny.

'Ddrwg calon gin i, Isaac Jones. Chofis i ddim byd.'

'Os na fedar y bugel, o bawb, gadw'i air,' ebe yntau, yn flin braidd.

'Dw i *yn* ymddiheuro. Ddaru chi 'lychu llawar?'

'At yr asgwrn 'te,' fel petai peth felly'n bosibl. Serch y drochfa, fe ddaeth Isaac Jones efo mi i'r oedfa ddau yn Llandrillo yn gwisgo crysbas a throwsus melfaréd ac yn hwyliog ei ysbryd. Wedyn, aeth ymlaen i weld ei deulu.

A'r gwahoddiadau i gartrefi wedyn ar nosweithiau rhydd neu'n dilyn rhyw gyfarfod neu'i gilydd. Wedi darfod swper, clirio'r bwrdd i wneud lle i ddraffts, gêm o fonopoli, dominos, i chwarae rings neu chwarae cardiau. O ran y draffts, beth bynnag, yng Nghwm Penanner roedd yr arbenigwyr yn trigo.

Unwaith y mis roedd yn ofynnol i ni ein dau fynd ddau gan llath i fyny'r ffordd i ffarm Tŷ Isa' i mi gael torri 'ngwallt – a swper wedyn! Na, nid powlen ar ben dyn a chlipio rownd y godreuon fyddai hi, fel yn

Capel Maes yr Odyn, Llanfihangel Glyn Myfyr.

yr hen amser. Na, roedd Emrys, y mab, yn gneifiwr taclus, boed yr anifail yn ddyn neu'n ddafad.

Seicosymudiad

Rwy'n cofio mai noson ddigon llwydaidd oedd hi, o ran y tywydd felly, a chriw bychan wedi hel i'r festri yng Nghwm Penanner i gyfarfod noson waith. Trafod ffydd a chred oedd y gwir fwriad a chymdeithasu rhwng dau Sul yn fath o fendith ychwanegol. Buan y llithrai'r sgwrs i sôn am ragolygon y tywydd, prisiau'r farchnad neu hyd yn oed pwy oedd â golwg am fabi.

Fy nhad fyddai'n sôn iddo weld hynny yn digwydd . . .

Fedra i ddim cofio pam y bu i ni y noson honno lithro i fyd seicosymudiad: y gred y gall y meddwl, o fod yn ddigon cryf, symud pethau heb i neb eu cyffwrdd nhw. Fe ddichon i rywun ddyfynnu cymal o folawd Paul i gariad, lle ceir sôn am 'gymaint o ffydd nes gallu symud mynyddoedd'. Oni fyddai'r Parchedig J. T. Roberts – y rhesymegwr ag oedd o – yn sôn am fod mewn math o *séance* ar aelwyd yn Uwchaled, naill ai'n fwriadol neu'n ddamweiniol, ac i fwrdd cegin godi oddi ar ei draed? Yn wir, roedd amryw o'r rhai a oedd yn bresennol yn y festri y noson honno yn gyfarwydd â'r hanes hwnnw.

Dyna pryd y soniais innau, yn fy anaeddfedrwydd, am y gred y gellid – o gael pump o'r un ysbryd a meddwl – godi person cydnerth o'i gadair heb ddim mwy na rhoi dau fys o dan y pengliniau, dau o dan y ceseiliau ac anadlu yr un pryd. Fy nhad fyddai'n sôn iddo weld hynny yn digwydd, fwy nag unwaith, pan fyddai llanciau pen draw Llŷn yn hel at ei gilydd i lofft stabl, wedi noswyl, i gadw reiat. O glywed hynny, doedd na byw na marw na cheid rhoi cynnig arni.

Rhobet Owen Roberts Ty'n Rhos – tyddynnwr a hen lanc – a gadeiriwyd y noson honno a phedwar ohonom yn mynd at y gwaith o'i ddyrchafu. O edrych

Dri mis union wedi i mi gyrraedd, ymddeolodd y Parchedig John Thomas Roberts wedi chwarter canrif bron o weinidogaeth wahanol, lwyddiannus, yng Ngherrigydrudion a'r fro. Mae'r gyfrol a olygwyd gan Robin Gwyndaf, *Gŵr y Doniau Da*, yn gyforiog o chwedlau amdano. Mudodd ei wraig ac yntau, a'u mab, Bryan i ffarm ychydig filltiroedd i ffwrdd yn ardal Betws Gwerful Goch. Wedi teimlo galwad i fod yn weinidog trodd ei gefn ar yr Annibynwyr ac ymuno â'r Methodistiaid: 'Wrth gwrs Annibynwyr sy'n iawn, ma' hyn yne'n glir iawn, pe fase pawb yn sant, yndê?' Credai mewn cyfuno crefydd a gwyddoniaeth, rhesymeg a datguddiad, gyda gwybodaeth yn garn i'r cyfan. Ystyriai mai amcan pregethu oedd gwneud pregethu yn gwbl ddianghenraid! Talu teyrngedau ar ddydd angladd oedd un o'i gampau. Ar bnawn angladd, ar wahân i'r ymadawedig tueddai i ailgladdu'r teulu i gyd, y byw a'r marw yn ogystal ag atgyfodi rhai o fawrion y fro: 'Dene i chi Jac Glan y Gors, yndê, gŵr ag ing y genedl yn llosgi yn ei galon o – ma' hwnne'n eitha reit i chi.' Os mai fel 'Musus J. T.' y cyfeirid at ei briod bu'n bopeth yn Uwchaled ar lefel byd ac eglwys. Heb ailadrodd, anodd peidio â sôn am un stori a oroesodd. Person plwy mewn angladd – â'i olwg, mae'n amlwg, tua'r ddaear – yn dweud wrth J. T. bod ei drowsus llaes braidd yn fyr. I gael yr ateb, 'Wel, mae'n well inni fod yn fyr yn y gwaelod, yndê, nag yn y pen.'

Penderfynwyd y dylid ceisio aildrefnu'r digwyddiad . . .

yn ôl, un arwydd o ddiffyg ffydd oedd i ni ddewis yr ysgafnaf o'r criw i gael ei godi. Fe ddigwyddodd yr wyrth, do. Yn wir, fe gymerodd hi fwy o amser i gael Rhobet yn ôl i'r ddaear, a hynny gyda gofal. Wrth gwrs, gyda'r blynyddoedd mae'n bosibl i ddigwyddiad ledu'r dychymyg. Hynny ydi, mai cael ei godi yn hytrach nag esgyn ohono'i hun, fel petai, fu hanes Rhobet Owen Ty'n Rhos.

Ychydig flynyddoedd yn ôl cefais ddychwelyd i Gwm Penanner i ffilmio rhaglen ar gyfer cyfres deledu. Bu'n ddeuddydd o gerdded a gyrru ar hyd hen lwybrau a hel atgofion gyda hwn ac arall. At ei gilydd, disgynyddion y teuluoedd a oedd yn byw yno yn y Chwedegau sy'n dal i drin y llechweddau ac i addoli yn y capel.

Wrth ffilmio aed i'r festri. Syndod meddwl, ond bu'r ystafell eithriadol gyfyng honno, unwaith, yn ysgol bob dydd i blant y Cwm. Yn nechrau'r Pedwardegau bu'r awdur llyfrau i blant, enwog iawn yn ei dydd, Mary Vaughan Jones, yn dysgu yno. Pan soniais i wrth y criw ffilmio am yr arbrawf yn y dyddiau a fu penderfynwyd y dylid ceisio aildrefnu'r digwyddiad.

O'r pump a ddaeth ynghyd noson y ffilmio, yn y Chwedegau plant oedd Ieuan Blaencwm a Hefin Tŷ Mawr. Bryd hynny, roedd Wyn Williams, Capela yn

Capel Tŷ Mawr, Cwmpenanner.

ffarmwr ifanc a'r ieuengaf o ddigon o'r blaenoriaid. Bellach, roedd o ar fynd at y gwaith am yr eildro. A dyma ei holi:

'Ac mi ddaru Robat Owan godi?'

'Do'n tad. Doeddach chi yno.'

'At y to?'

'At y to!'

Merch Tŷ Mawr, Mared, osodwyd yn y gadair ac Elin, ei chwaer, i gynorthwyo gyda'r ymdrech i'w chodi. A dyma fywiogi'r camera, codi lefel yr offer sain a gwrando am y cyfarwyddiadau.

'Reit ... pawb yn barod? ... Têc wan.'

Serch sawl têc fu – tri ar ddeg fe ddichon – ddaru

'Ac mi ddaru Robat Owan godi?'
'Do. At y to!'
A Harri Parri . . .?

Mared druan ddim esgyn modfedd. Yn raddol, aeth yr anadlu defosiynol yn chwerthiniadau a chyn pen dim roedd pawb yn eu dyblau.

'Cyt!'

Symud wedyn i'r tŷ sydd o dan yr unto â'r capel. Erbyn hyn mae'n ganolfan amlbwrpas at ddefnydd pobl y fro. Nifer o ferched ifanc ar gwrs Pilates oedd yno noson y ffilmio. Maes Joseph Pilates, hefyd, oedd dylanwad y meddwl ar y corff.

Harddu'r corff a cholli pwysau drwy ymarfer y corff hwnnw oedd amcan y merched y noson honno a gwneud hynny drwy fod o'r un meddwl, a'r un ysbryd, yn yr un lle. Pan ofynnais i gwestiwn, roedd y merched yn unfryd mai ar siwrnai ysbrydol roeddent hwythau, fel eu neiniau a'u hen neiniau o'u blaenau.

Cyn cefnu, dyma fynd i'r capel, i ffilmio ychydig

Plàc y pedwar gorchymyn yng Nghapel Tŷ Mawr, Cwmpenanner.

mwy, a cheisio dal peth o awyrgylch y lle hwnnw. Ar un o'r muriau mae yna adnod o'r Testament Newydd: 'Perchwch bawb. Cerwch y brawdoliaeth. Ofnwch Dduw. Anrhydeddwch y brenin.' Ar adegau llac mewn oedfa bûm sawl tro yn syllu'n fyfyrgar ar y pedwar gorchymyn.

Y diweddar John Morris Jones, Cwmein, ddeudodd wrtha i, flynyddoedd wedi imi adael, fel y bu cweryla enbyd unwaith yn y Cwm. A phan aed ati i ailadeiladu capel yn 1898 penderfynwyd rhoi'r adnod mewn lle amlwg yn fath o rybudd ar gyfer y dyfodol.

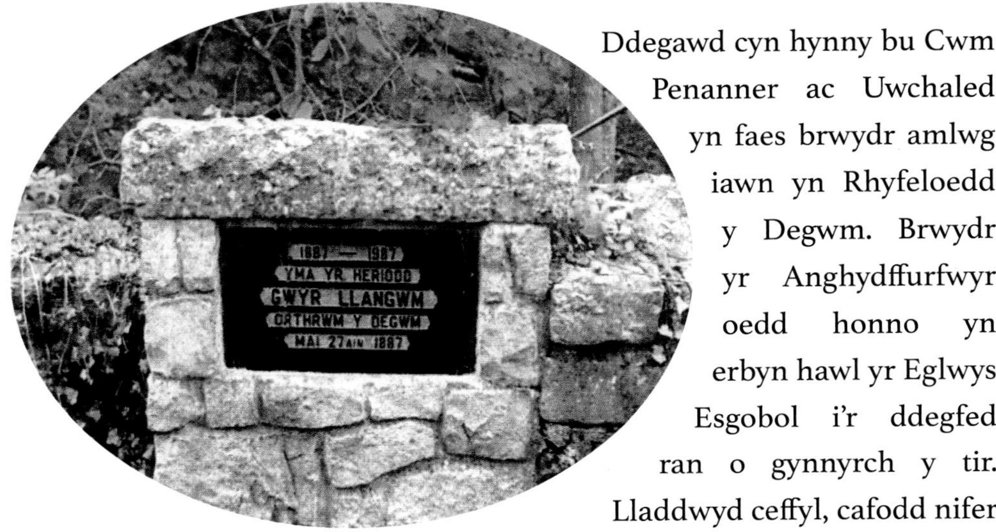

'Yma yr heriodd Gwŷr Llangwm Orthrwm y Degwm, Mai 27ain 1887'. Yn dilyn y digwyddiad yn Llangwm, anfonwyd 31 o brotestwyr i'r llys.

Ddegawd cyn hynny bu Cwm Penanner ac Uwchaled yn faes brwydr amlwg iawn yn Rhyfeloedd y Degwm. Brwydr yr Anghydffurfwyr oedd honno yn erbyn hawl yr Eglwys Esgobol i'r ddegfed ran o gynnyrch y tir. Lladdwyd ceffyl, cafodd nifer o'r ffermwyr eu niweidio a daliwyd yr arwerthwr, Ap Mwrog, â'i ben i lawr dros ganllaw Pont–y-glyn a'r 'ddisgynfa honno', yn ôl Llwyd o'r Bryn, yn ddigon i 'godi ofn ar gath'. Roedd tad Llwyd, John Lloyd, Tŷ Isa'n y Cwm, yn un o'r rhai a wysiwyd o flaen eu gwell yn Chwefror 1888. O ganlyniad i'r brwydro enbyd yn ystod Rhyfeloedd y Degwm, yn ôl John Morris Jones eto, y penderfynwyd rhoi adnod mor rhybuddiol ar fur y capel.

Gwarchod y 'pethe'

Ar y pryd, roedd yn Uwchaled frand arbennig o ddiwylliant nad oedd ei fath yn union i'w gael ar Benrhyn Llŷn. Neu felly y tybiwn i ar y pryd.

Diwylliant â'r capel yn ganolog iddo oedd o ar lawer cyfrif. Digwyddiadau gyda chysylltiad â'r capeli oedd trwch y newyddion ar dudalennau'r *Seren* a'r *Cyfnod*, wythnosolion y Bala a'r cylch. Yr eithriad yn y *Cyfnod*, a hynny'n weddol gyson, oedd yr hysbyseb: 'Wrestling, the greatest tag-team attraction in the world' ym Mhafiliwn Corwen.

Dichon fod y gair a fenthyciodd Llwyd o'r Bryn yn deitl i'w gyfrol, a gyhoeddwyd yn Ionawr 1955, *Y Pethe*, yn gystal enw brand â'r un i'r hyn a fyddai'n digwydd. Canu, llenydda, barddoni a chrefftau oedd y meysydd, yn bennaf, a chystadlu yn fath o echel i yrru'r 'pethe' yn eu blaenau. Wrth gwrs, digwyddai hynny yn Llŷn. Erbyn meddwl, efallai mai mesur a maint y brwdfrydedd o blaid y gweithgareddau oedd yn gwneud y gwahaniaeth.

Yn Uwchaled roedd gan grefydd ran fawr yn hybu'r gwerthoedd. Er enghraifft, cynhelid eisteddfod flynyddol yn y capel yn Llanfihangel ar ddydd Calan. Er y bu 1963, a dydd cynta'r flwyddyn ar ddydd Mawrth, yn eithriad llwyr. Erbyn y Sadwrn a'r Sul blaenorol roedd eira mawr 1963 wedi cyrraedd Uwchaled a bu'n rhaid rhoi'r eisteddfod heibio am y tro, a phob gweithgarwch tebyg. Gyda Llanfihangel

mewn pantle, yn gaeth i'r pentref y buom ni am rai wythnosau. Dyna'r pryd y bu i'r botel ddŵr poeth honno rewi'n gorn.

Yn Llanfihangel y penderfynwyd cael sesiwn i holi'r pregethwr ar derfyn oedfa. Y cynllun oedd byrhau'r defosiwn, cwtogi'r bregeth a chwarter awr o drafod wedyn – os oedd yna rywbeth gwerth ei drafod! Pan aed ati i ehangu'r arfer a gofyn i bregethwr a oedd yno ar ymweliad blygu i'r drefn bu cryn chwyrnu. Chwarae teg iddyn nhw. Doedd y pregethwr druan wedi cael ei holi'n dwll gydol y dydd – nid am ei genadwrïau, o angenrheidrwydd! Tanio'r Singer Gazelle neu'r Hillman Minx – neu beth bynnag y cerbyd – oedd orau o ddigon a'i sbarduno hi am adref gynted â phosib. A pheth arall, doedd pregethwyr bryd hynny ddim wedi arfer â thorri'r wadn yn ôl y droed na chwaith mynd o flaen eu gwell. Yn wir, wrth bori mewn hen rifyn o'r Cyfnod, o dan y pennawd Llanfihangel G. M., a'r is-deitl, 'Pabyddiaeth', dyma ddŵad ar draws y canlynol: 'Gwahoddwyd Tad Welsh a'r Tad Fox [offeiriadon Catholig] i annerch ac i drafod cwestiynau a phroblemau'r aelodau. Daeth cynulliad cryf i wrando arnynt a chwalwyd llawer rhagfarn o wrando arnyn nhw.'

Ysgol Sul luosog Llanfihangel Glyn Myfyr, 11 Gorffennaf 1974

Mor bell ag roedd crefydd ac eisteddfota yn y cwestiwn, y digwyddiad penodol oedd Gŵyl yr Ysgol Sul a gynhelid yn flynyddol gyda phwyntiau'n hytrach nag arian yn wobrau a tharian hardd i'r ysgol Sul a enillai'r nifer mwyaf o farciau. Yn fy marn i, doedd y gwyliau ysgolion Sul yn Uwchaled, mwy nag mewn mannau eraill y bûm yn bugeilio ynddyn nhw, ddim bob tro yn dangos yr ysbryd Cristnogol ar ei orau. Gallai cystadleuaeth canu unawd megis 'Unwn bawb i ganu, gyda lleisiau mwyn' arwain i ddadl uchel ei chloch rhwng rhiant plentyn na chafodd lwyfan a'r beirniad, druan. Fel y gallai cydadrodd y Gwynfydau – gydag adnodau megis 'Gwyn eu byd y tangnefeddwyr' – esgor ar ryfel rhwng yr enillwyr a'r rhai a gafodd gam. I fod yn deg, eithriad fyddai drwg ysbryd o'r fath ac, ar y pryd, roedd ysgolion Sul y cylch yn rhai llwyddiannus ryfeddol ac yn fawr eu dylanwad ar blant a phobl ifanc.

Does neb wedi dangos yr hunaniaeth honno a berthynai i'r fro, unwaith, yn well na Hugh Evans yn ei glasur, *Cwm Eithin*, a gyhoeddwyd gyntaf yn 1931. Bu o leiaf bum argraffiad o'r gyfrol ynghyd â chyfieithiad Saesneg E. Morgan Humphreys, *The Gorse Glen*, yn 1948. Un o Langwm oedd yr awdur heb fawr o gyfle addysg fel cynifer ar y pryd. Wedi bod yn wagenwr yn ifanc, yn 21 oed ymfudodd i Lerpwl. Meddai yn ei Ragair i'r ailargraffiad: 'Un peth arall a'm cymhellai i gyhoeddi'r llyfr oedd fy nghred mai trychineb i'r iaith Gymraeg fyddai i lenorion gwerin ddarfod o'r tir; fe gadwant ddolen gysylltiol rhwng ein dysgedigion a'r darllenwr cyffredin. Credaf i'n dysgedigion ddechrau'r ganrif hon, wrth wneuthur y gwaith ardderchog o buro'r iaith, fod yn rhy lawdrwm ar y gwerinwr ac eraill na allent ysgrifennu Cymraeg cywir, er y gallent ysgrifennu Cymraeg dealladwy a diddorol, ac aethant, lawer ohonynt, i ysgrifennu hyd yn oed eu llythyrau yn Saesneg. Caent ysgrifennu rhyw fath o Saesneg heb i neb eu beirniadu. Ond mae pethau'n dod yn well.'

Y glo mân a gynhyrchai'r gwres a chadw'r brwdfrydedd i losgi oedd yr eisteddfodau lleol – 'cyfarfodydd bach', fel y'u gelwid – gyda chystad-

Battle of the three acres unites village. Brwydr Cyngor Plwyf Llanfihangel Glyn Myfyr i gofrestru tair acer o dir comin ar lan afon Alwen, a chasglu arian at yr achos.

leuwyr lu yn heidio o ardal i ardal er mwyn difyrrwch yn fwy na dim arall. Wrth gystadlu mewn digwyddiadau o'r fath, a beirniadu ar dro, y deuthum i'n ddigon o fardd i wybod nad oeddwn i'n fardd na mab i fardd – er yn ŵyr a nai i feirdd gwlad digon cynhyrchiol. Cefais gyfle i gyfeirio at y rhai hynny mewn cyfrol o'r enw *Iaith y Brain ac Awen Brudd*.

O ran y farddoniaeth, beirdd gwlad oedd asgwrn cefn y cyfarfodydd bach a digwyddiadau lleol, boed lon neu brudd, yn cael eu sylw. Gan amlaf, cael difyrrwch a chreu difyrrwch oedd yr unig fwriad. Os na thyfais yn fardd, bûm fwy nag unwaith, fel eraill, yn destun pwt o gân. Bardd gwlad a ffarmwr oedd Trebor Traean, Trebor Jones, fel ei dad o'i flaen. O dro i dro awn yn ei gwmni i fyny afon Alwen i bysgota.

Cyn i mi ymadael â'r fro daeth y gerdd ganlynol – boed hi'n wir neu beidio – â gwobr iddo. Yr ail gam fyddai cael cyhoeddi'r gerdd yn y papur lleol.

Roedd cyrchu'r praidd i'r gorlan
Yn orchwyl anodd iawn,
Gwneud pregeth yn y bore,
Ymweled y prynhawn;
A chyfarfodydd yn yr hwyr,
A'r bugail wedi blino'n llwyr.

Fe gafodd sgwrs â'r meddyg,
A'r cyngor gafodd o,
'Rhaid i chwi'n siŵr gael hobi
Er arbed mynd o'ch co'.'
Dim awydd garddio'n ddigon siŵr!
Mil gwell tawelwch ger y dŵr.

O Galfin yn Fedyddiwr
Ar amrant aeth y gŵr,
Fe dorrodd flaen ei enwair
A'i gôt aeth gyda'r dŵr.
A meddwl wnaeth yn wlyb ei fyd,
Ai doeth yr hobi aeth â'i fryd.

Tra'r wraig â'r badell ffrio
Yn eirias ar y tân,
Yn disgwyl gwledd o bysgod,

Yn hymian pwt o gân
Dychwelodd heb 'run sgodyn, siŵr,
Ond daeth â mesur da o ddŵr.

Colli'r cês wnes i

Y cês a aeth o'r golwg.

Na, nid achos o droseddu, yn union, er y gallai fod wedi esgor ar hynny. Un bore daeth y postman acw â llythyr oddi wrth eglwys Gymraeg yng Nghilgwri yn estyn gwahoddiad i mi fynd yno i bregethu. Nid mod i ar flaguro i fod yn bregethwr o safon oedd y rheswm am y gwahoddiad: roedd cefnder i mi, a'i wraig, yn byw yn y cylch ac yn aelodau cefnogol o'r eglwys honno. Y nhw, yn ddiamau, fwriodd y cwch i'r dŵr. Cafodd Nan wahoddiad i ddod i'm canlyn. Felly, dyma bacio'r unig gês a oedd ar ein helw a'i lenwi â'r dillad angenrheidiol. Bu'n fwrw Sul cofiadwy ddigon.

Fore Llun, penderfynwyd ein bod ni, cyn troi am adref, yn picio i Lerpwl: prifddinas gogledd Cymru bryd hynny. Felly, dyma barcio'r car ym Mhenbedw a mynd yno ar y trên. Pan ddychwelom ni roedd y mini coch yno, yn yr union fan, ond bod bŵt y cerbyd yn gegagored a'r cês wedi diflannu. Doedd colli'r ddwy bregeth ysgrifenedig a oedd yn ei grombil o fawr bwys ond roedd colli'r siwt Sul, fy unig siwt, yn fater arall.

Er cael clywed am ein colled ddaru'r plisman yn swyddfa'r heddlu ddim cynhyrfu blewyn. Sgowsyn pur oedd hwnnw ac un clên ryfeddol, 'Where ye parked yer car, it 'appens once a day, like.'

Fodd bynnag, wedi inni roi mwy o fanylion iddo bywiogodd. Taflodd gip ar y darn papur oedd ar y cownter – i wneud yn siŵr. Roedd ganddo newyddion da o lawenydd mawr i'w rannu efo ni: gwybodaeth newydd gyrraedd fod yna gês o'r un lliw ac o gyffelyb faint, gyda'n henwau a'n cyfeiriad ni ar ei label, mewn tŷ yng nghyffiniau Seaforth, rhwng Bootle a Waterloo.

'If ye're willin' to drive me, I'll cum with ye.' Edrychodd eto ar y darn papur, 'Thirty One, Sea View Drive.' Yna ychwanegu, 'Just, by the dock, like?'

Wedi cryn ogr-droi ac ailgyfeirio drwy draffig Lerpwl cyrhaeddwyd y stryd a gyrru ar hyd-ddi i'w phen draw eithaf. 'I'll get it for ye, now,' a chydio yn handlen y drws. Craffodd ar y rhif a oedd ar y drws, 'Bloody 'ell, the street ends in twenty nine!'

Y drws. Rhif 29

Wn i ddim yn union sut yr aeth y stori ar gerdded drwy Uwchaled a hynny fel tân drwy eithin sych. Y 'bugel', o bosibl, yn pregethu yn ei ddillad bob dydd am Sul neu ddau ac wedi crybwyll am a ddigwyddodd. Gyda chyflog gweddol fach roedd gofyn oedi peth cyn mynd i chwilio am siwt arall.

Blaenoriaid yr ofalaeth ar y trip blynyddol.

Yn union wedi i'r stori ei gyrraedd, pwy alwodd heibio i Fron Dirion, a siwt dros un fraich iddo, ond Gwilym Jones, Maelor Stôrs, cyhoeddwr y gyfrol *Ŷd Cymysg*. Yn fab ffarm o Ddyffryn Clwyd ymfudodd i Lerpwl lle bu'n cadw busnes. Erbyn i mi gyrraedd y fro, roedd o a'i briod yn cadw siop yng Ngherrigydrudion.

Un ail-law oedd y siwt ond ddim pin gwaeth – ac yn y mesur byr. Bu'n gwisgo peth arni yn nyddiau Lerpwl, i gydweddu â'r ffasiynau a oedd mewn lle felly. Du angladdol oedd y lliw ond bod y trowsus yn un pin-streip: siwt twrnai a meddyg, gŵr busnes a rheolwr banc. Doedd gen i ddim dewis ond camu iddi i weld a oedd hi'n ffitio. Roedd y siaced

Y pennawd cynnil oedd 'Ffarwelio.'

yn fy ffitio'n weddol – gallwn hepgor y wasgod – y trowsus, wedyn, i'r dim o ran hyd y coesau ond gallai dau o'r un maint â mi fynd i mewn iddo. Gwaith anodd ydi gwrthod cymwynas er mod i, oherwydd snobeiddiwch a oedd yn dal i lynu wrth y brethyn, yn falch o gael gwneud hynny.

Fisoedd yn ddiweddarach, a hithau'n ddydd o ddiolchgarwch am y cynhaeaf yng Nghapel Cefn Nannau, yn ystod oedfa'r bore daeth neges i Swyddfa'r Post yn Llangwm i ddweud fod y cês hwnnw wedi dod i'r fei ac i'w gael am ei nôl.

Pan aed i'w gyrchu, doedd gan y plisman wrth y ddesg – yr un a gafodd y siwrnai seithug i 31 Sea View Drive, 'just by the dock, like?' – ddim eglurhad chwaith. Roedd y siwtan yno, yn ei phlyg, ond y pregethau ddim! Wrth gwrs, fe gostiodd hi bris siwt arall i ni ddychwelyd yno i'w chyrchu.

Ymhen amser, roedd y cês hwnnw, a gollwyd ac a gafwyd, i fod o ddefnydd i ni unwaith yn rhagor ond stori ar gyfer pennod arall ydi honno. Yn rhifyn 7 Hydref 1964 o'r *Denbighshire Free Press*, o dan newyddion o Uwchaled, y pennawd cynnil oedd 'Ffarwelio'.

Hwylio i Borthmadog

Yn ystod haf 1964 daeth dau ysbïwr i Fron Dirion, gefn dydd golau, i'm rhagrybuddio fod yna lythyr yn y post yn estyn gwahoddiad i ni i fudo i Borthmadog, i mi fugeilio Eglwys y Tabernacl, yn y dref, ac Ebeneser ar fin y dŵr ym mhentref Borth-y-gest. Yn ôl y llythyr, a oedodd cyn cyrraedd, fyddai 'pregeth braw' ddim yn angenrheidiol. Roedd hynny'n fymryn o abwyd. Diau i aelodau'r pwyllgor, yn nes ymlaen, ddifaru am iddyn nhw, a dyfynnu hen ddihareb, brynu cyffylog heb gael golwg ar ei big i ddechrau.

Dyfrig ar y chwith, a Llŷr ar y dde.

I mi, blynyddoedd Dyffryn Madog fu blynyddoedd y mentro a'r arbrofi peth. Gadael sibolethau coleg, amcanu at dyfu yn y Ffydd ac arbrofi gyda'r moddau i'w chyflwyno'n gyfoes a chyrhaeddgar. Cyrraedd yno'n dri a chynyddu'n fuan i fod yn bedwar.

Os mai cael cerdd cyn ymadael fu'r stori yn Uwchaled cael cerdd wrth i ni gyrraedd ddigwyddodd ym Mhorthmadog: neb llai na J. T. Jones, blaenor ac

Ein pedwar yn ddiddan, ddedwydd yng Ngelliwig.

un a'i henwogodd ei hun fel cyfieithydd Shakespeare, wedi ei chyfansoddi. Fe'i canwyd yn ystod swper croeso ar yr alaw 'Pant y Pistyll'.

Dyma ni , gyfeillion diddig,
    Wedi ymgasglu'n awr ynghyd
Ar achlysur hynod bwysig,
    Yma'n y festri gynnes glyd
Wrth ein bodd, yng nghwmni'r Awen,
    Daethom i gyd i 'Stafell y Gân'
Wedi trefnu 'Noson Lawen',
    Wedi darparu croeso glân.

Roedd o'n achlysur digon caled
  Sibrwd 'ffarwel' cyn dod i lawr
O'r ucheldir yn Uwchaled
  Atom i'r Traeth a'r Morfa Mawr.
Ond, gobeithiwn, bawb, yn awchus
  Glywed eu bod, yn fuan, eu tri,
Wedi setlo i lawr yn hapus
  Yma'n y Port ar gwr y lli.

Bu'n newid byd i ni o ran cynefin. Tref oedd Porthmadog ac un ifanc ar ben hynny: un na fyddai'n bod o gwbl heb weledigaeth a menter William Alexander Madocks yn 1810 yn codi morglawdd i gau'r môr allan ac ennill tir. Bu'n newid i ni o ran natur y gymdeithas. Yn y Port, pobl ddŵad oedd yr hil, heb dafodiaith bendant: hynny ydi, o'u cymharu nhw â thrigolion Caernarfon, dyweder. Os mai enwau caeau a bryniau, ffrydiau ac afonydd oedd ar gartrefi Uwchaled, enwau lleoedd o ledled Cymru oedd ar amryw o'r tai ym Mhorthmadog: mewnfudwyr wedi llusgo'r enwau i'w canlyn. Yn naturiol, pobl â chysylltiad â'r tir oedd y mwyafrif llethol yn Uwchaled. Tair neu bedair o ffermydd yn unig oedd â chysylltiad â'r Tabernacl a neb, hyd y cofiaf, yn y Borth yn ffermwyr.

Ar ddechrau canrif newydd chwalwyd Capel y Tabernacl yn y Port ond cadwyd yr ysgoldy.

Eifion Wyn yn 1919, o bosib pan dderbyniodd MA gan Goleg y Brifysgol ym Mangor.

Bu'n fymryn o newid o ran y diwylliannau hefyd. Er enghraifft, fel y dywedwyd yn barod, gallai Uwchaled olrhain y traddodiad barddol yn ôl i rai fel Edward Morris, Perthi Llwydion, a ystyrir yn un o feirdd gorau ail hanner yr ail ganrif ar bymtheg. Y bardd i bobl Porthmadog wedyn – yr unig fardd i amryw, wir – oedd y telynegwr poblogaidd, Eifion Wyn: wedi ei eni yn y Port a marw yno mor ddiweddar â 1926. Roedd traddodiadau a natur y capeli, hefyd, beth yn wahanol.

Y capel ar fin y dŵr

Un o'r llongau llai oedd Ebeneser, Borth-y-gest, ond digon o griw i fedru hwylio'n esmwyth ddigon. Codwyd y capel yno yn Oes Fictoria, yn union dros y ffordd i forglawdd isel, yn edrych allan dros Fae Tremadog ac i gyfeiriad y Rhinogydd gyda thŷ capel yn cysgodi yn ei gesail. Anodd meddwl am gapel yng Nghymru mewn harddach man. Ar bnawn Sul braf, a'r Port fel bwrdd snwcer o wastad, roedd hi'n bosibl i mi feicio yno ar hyd yr harbwr. Dim ond ysgwyddo'r beic wedyn dros y Grisiau Mawr a dyna fi wrth ddrws agored Ebeneser ym Mhorth-y-gest.

Mae rhan o'r pentref Fictoraidd yn union ar fin y dŵr ar fath o bromenâd sydd ar siâp hanner

Ysgol Sul Ebeneser, Borth-y-Gest

calon, a gweddill y pentref yn dyrchafu tu cefn iddo. Oherwydd ei atyniad roedd o wedi Seisnigo peth cyn i mi lanio yno. Fel *Borthey* y byddai trigolion uniaith Saesneg yn aml yn cyfeirio at y pentref.

Yn nhermau morwriaeth a morio y bydda i gan amlaf yn meddwl am y lle. Yn fy nghyfnod i, roedd yna dri o gapteiniaid a'u teuluoedd yn y gynulleidfa efo straeon môr i'w hadrodd. Un ohonyn nhw, adeg yr Ail Ryfel Byd, wedi bod yn drifftio mewn cwch ar y cefnfor am un diwrnod ar ddeg heb na hwyl nac angor, na diod na bwyd.

Degawd wedi i mi gyrraedd yno, 1974, roedd Eglwys Ebeneser yn dathlu ei phen-blwydd yn gant

Gelli-wig ynteu Gelliwig? Dacw Llŷr a Dyfrig wrth y drws ffrynt.

ac fe gyhoeddwyd cyfrol i nodi hynny. Un rheol, yn ôl yr hen gofnodion, oedd bod 'cyflenwad da o faco a phibelli i fod yn y Tŷ Capel bob amser'. Fel hyn yr ysgrifennais unwaith: 'Ar derfyn deng mlynedd fel Gweinidog yn y Borth hoffwn ddiolch i chi fel aelodau am lawer iawn o garedigrwydd a theyrngarwch. Gwn fod ym Morth-y-Gest ryw raslonrwydd prin sy'n gwneud gwaith pregethwr mewn oes ddreng yn llai o faich.'

Flynyddoedd wedi i mi godi angor, cau'r twll llwytho fu hanes Ebeneser hefyd. Ar ddechrau canrif newydd chwalwyd Capel y Tabernacl yn y Port ond cadw'r ysgoldy, ac ailgodi yn ei le adeilad llai crand ond yn un mwy cyfoes ei adeiladwaith a mwy defnyddiol. Hwyliodd criwiau tuag yno o saith o eglwysi'r cylch. Mae rhai o aelodau Ebeneser, Borth-y-gest, gynt yn dal yn eu plith. Ond mae'n bryd i mi ddechrau hel straeon.

Gelliwig neu Gelli-wig

Ein cartref ni yn nyddiau Porthmadog a Borth-y-gest oedd clamp o dŷ ar y ffordd allan o'r Port i gyfeiriad Cricieth. Wn i ddim pwy a'i henwodd: roedd yna ddau ynganiad gwahanol. Rhai o'r bobl yn dweud mai 'Gelli-wig' oedd ein cartref ni ond y mwyafrif yn mynnu mai 'Gelliwig' oedd enw'r lle. Fe'i codwyd yn 1897 yn gartref i Iolo Caernarfon, gweinidog Capel y Tabernacl ar y pryd, a bardd a llenor. Y fo, meddir, a ddewisodd y lle i'w adeiladu ac o bosibl mai fo ddewisodd yr enw. Diau y gwyddai am blas Gelliwig yn Llŷn ac o bosibl iddo ddewis enw ac iddo bedigri.

Roedd yn dŷ helaeth, mewn cysgod haul enbyd, ond yn ddigon hwylus, yn ôl y sôn, i Iolo fedru dringo'n ddyddiol i ben Moel y Gest – a hynny wrth ei hamdden. Serch ei fod yn dŷ ar ymyl y ffordd, a thai eraill yn weddol agos iddo, roedd yna ryw ymdeimlad o unigrwydd yn perthyn i Gelliwig ac ias fwganllyd i'w theimlo yno ar dro: drymedd nos, dyweder, a'r byd i gyd yn cysgu. Pan oeddwn i'n blentyn yn Llŷn roedd yna sôn fod yna ysbrydion ym Mhlas Gelliwig hefyd.

Rhaid fu galw ar berson Llanengan, unwaith, i ddod i Gelliwig, Botwnnog i geisio tawelu ysbryd. Dangoswyd ystafell arbennig iddo yn y tŷ. Aeth i mewn iddi ond ymhen ysbaid 'daeth yr hen ficer allan o'r ystafell, lle buasai ef a'r ysbryd yn ymgodymu, a'i ddillad yn garpiau, a'r fath arogl drewedig arno fel y gorfodwyd golchi pob cerpyn oedd yn ei gylch, a'i rwbio yntau â sebon meddal o'i gorun i'w sawdl'. Roedd yr ysbryd, mae'n debyg, wedi ei gau mewn twll ebill yn y tŷ a rhywun wedi rhoi topyn ar geg y twll rhag iddo ddod allan. Pan dynnwyd y topyn dihangodd yr ysbryd ac ymosod ar y person. — Elfed Gruffydd, *Llŷn*, Cyfres Broydd Cymru

Ar y pryd, ac anodd coelio hynny heddiw, roedd Gelliwig [Porthmadog] yn gyrchfan i gardotwyr; y 'digartref' fyddai'r term heddiw. Un rheswm am boblogrwydd y lle i'r anghenus oedd ei fod am y cae â'r eglwys blwyf a rhai, o'r herwydd, yn tybio mai hwn oedd y rheithordy. I dramp ar ei siwrnai, gallai lle felly fod yn borth y nefoedd. Y gwir reswm oedd i un o'm rhagflaenwyr i, Parch. J. P. Davies, a'i briod, enwogi eu hunain am groeso a charedigrwydd i'r anghenus.

Cof am yr un a ddaeth i'r drws cefn, gwrthod unrhyw fwyd a diod a mynnu cael arian neu byddai'n cyflawni hunanladdiad. Wedi cael ei siomi, agorodd botel a llyncu llond llaw o dabledi cyn hanner llewygu. Bu'n rhaid galw am gymorth. Eto, mae hi'n bosib mai smartis, neu eu tebyg, a lyncwyd. Neu'r ddau ifanc o Iwerddon a oedd am lety noson a hithau'n amlwg feichiog. Wedi ymgynghori, rhoi gwely a brecwast fu hi. Drannoeth, wedi iddyn nhw hwyr-godi ac ymadael, daeth yr heddlu i holi yn eu cylch; wedi lladrata eu ffordd i Borthmadog o ganoldir Lloegr.

Yn hwyr un noson, a minnau oddi cartref, daeth neges oddi wrth weinidog ym mhen arall y dref fod yna drempyn garw ei olwg o gwmpas ac yn debyg o alw. Cyn rhoi'r ffôn i lawr, canodd cloch y drws ffrynt a phenderfynodd Nan beidio â'i agor. Yn nes ymlaen aeth i archwilio'r drws ffrynt a'i gael heb ei gloi os nad yn gilagored. Mynd o ystafell i ystafell fu wedyn, rhag ofn, a'r plant wrth eu bodd yn byw stori arswyd.

Seffora ar 'Fryniau Casia'.

Cyfri'r geifr

Yng nghefn y tŷ roedd yna chwarter acer neu well o dir wast a hwnnw ar lechwedd serth; 'drain ac ysgall, mall a'i medd', yn llythrennol felly, a mieri'n ogystal. Ein henw ni arno – o gofio gwaith cenhadol Methodistiaid Calfinaidd yn India bell – oedd 'Bryniau Casia'. O ran y dirwedd, roedd o'n ddigon

Yr afr fenthyg honno ar gyfer ffilmio yn cadw dyletswydd.

anhygyrch i mi fedru dychmygu taro ar genhadwr neu ddau yno, ar goll, rhwng Shillong a Mawphlang.

Un ateb i'r tir gwyllt yng nghefn y tŷ, meddai rhywun, oedd gafr. Geifr, meddai eraill. Pedair gafr ar ddeg oedd y nifer cyntaf i gyrraedd, fesul llwyth, mewn Morris Minor 1000: un afr yn y sêt ffrynt a dwy yn y sedd gefn. (Gyda'r llwyth olaf cafodd y ddwy afr a oedd ar ôl sedd yr un.) Dod ar fenthyg roedd y geifr o Fryn Awelon, Cricieth – cartref Lloyd George unwaith – a hynny am fod y borfa yn y fan honno wedi mynd yn ddim.

Danteithfwyd gafr, yn fy mhrofiad i, ydi drain a rhisgl coed, gydag eiddew, *heidera* felly, o bopeth, yn *plat principal*. Trydydd os nad pedwerydd dewis gafr ydi porfa welltog. Bythefnos ar y mwyaf fu nad oedd Bryniau Casia mor llwm â Moel Hebog gefn gaeaf a choed brigog yn dechrau marw ar eu traed.

O deimlo pangfeydd newyn yn eu cyrraedd, penderfynodd y geifr fynd dros y cloddiau i erddi cyfagos i weld beth arall a allasai fod ar y fwydlen. Yn rhyfedd iawn, rhosod gwraig a fu'n genhades yn India unwaith, Jennie Davies, a'i chwaer, oedd y rhai cyntaf iddyn nhw eu blasu. Gall gafr lwglyd ddinoethi coeden rosod yn bren glân gydag un llyfiad. Wedi brwydr enbyd i'w bugeilio nhw allan o wahanol erddi – gerddi aelodau'r capel yn amlach na pheidio – bu'n rhaid cael y Morris Minor 1000 hwnnw i'w cludo'n ôl i'w cynefin.

Daeth Nan a minnau i'r penderfyniad y byddai un afr yn ddigon ar gyfer y gwaith ac y byddai'r gwaith hwnnw yn ddigon o borthiant i'r afr honno heb iddi fynd i grwydro. Ar yr union bryd, penderfynodd y ficer, Alwyn Rice Jones – a ddaeth yn Archesgob Cymru'n nes ymlaen – yr hoffai yntau gael gafr i bori'r tir gwyllt a oedd o gwmpas y rheithordy. A dyna ffurfio undeb eglwysig yn y fan a'r lle; yr afr i'w pherchenogi ar y cyd ac i newid porfa fesul mis.

Yn annisgwyl, daeth gair fod yna afr yng nghyffiniau Cwm Ystradllyn yn brin o borfa a

Y fan amlbwrpas honno.

bod yr afr honno i'w chael am ddim – dim ond ei chyrchu. Un pnawn neilltuodd Alwyn ei giwrad, Barry Thomas, i ddŵad efo mi i lwytho'r afr. Fan wersylla, *campervan*, oedd y cludiant. Cyn cychwyn, taenwyd hen rifynnau o'r *Goleuad* ar lawr y fan rhag ofn y byddai angen carthu wedi'r daith yn ôl. Y fi oedd Golygydd y papur bryd hynny. O chwith y gweithiodd pethau. Coeliwch neu beidio, cyn i ni ddychwelyd i Borthmadog roedd yr afr, gan faint ei newyn, wedi bwyta pob tudalen o bob rhifyn, serch mor sych oedd *Y Goleuad* bryd hynny – yn ôl rhai!

Addasiad oedd y VW Dormobile y Saithdegau: fan â'i thrwmbal yn medru troi'n gegin a'r to, o'i godi,

Y 'Ffrat'. Cylch gweinidogion Porthmadog, rhywbryd rhwng 1965 a 1976. Y tîm a roes help llaw i symud y cwt.

yn ystafell wely ychwanegol i ddau blentyn. Wedi i ni gael ein gwynt atom, ymsefydlu yn Nyffryn Madog a theulu o dri wedi mynd yn bedwar, penderfynwyd y byddem ni'n prynu fan wersylla o'r fath ar gyfer pob rhyw orchwyl ac fel ein hunig gludiant ni. (Buom yn crwydro Ewrop yn honno am sawl haf.) O weld fan o'r fath, un wen, yn cyrraedd tŷ'r gweinidog ym Mhorthmadog yn hytrach na char – un tywyll, os nad hollol ddu ei liw – aeth un trefnwr angladdau i gryn wewyr. Hyd nes i gyfaill o gyd-weinidog, Iorwerth Jones Owen, ei sicrhau, rhwng difri a chwarae, y byddwn i ar ddydd angladd 'yn tynnu'r cyrtans'. Roedd yna lenni ar y ffenestri i'w cau a'u hagor yn ôl y galw!

Enw'r Canon Alwyn Rice Jones o Borthmadog yn ymddangos yng ngholofnau'r *Daily Mirror*!

Penderfynwyd bedyddio'r afr yn Seffora, Zipporah yn Hebraeg, yr un enw â gwraig Moses a mam Gersom ac Elieser, er mai dibriod a di-blant oedd ein Seffora ni, mor bell ag y gwyddwn i. Goroesodd Seffora hyd blynyddoedd Alwyn a minnau yn Nyffryn Madog a daeth bugeiliaid newydd i ofalu amdani. Bu farw mewn henaint teg ac mae ei bedd ar dir y rheithordy. Un o olynwyr Alwyn a agorodd fedd iddi, beth bynnag am gynnal math o gyfarfod coffa.

O gofio ddoe, un peth yr hiraethaf amdano ydi'r anwyldeb a berthynai i Seffora. A minnau, weithiau, yn dychwelyd berfedd nos wedi crwydro ymhell, yr un fyddai'i chroeso. Wedi diffodd goleuadau'r car, a rhoi taw ar y peiriant, y peth cyntaf glywn i oedd bref gynnes o dywyllwch Bryniau Casia. Yn ei dydd, cafodd Seffora beth enwogrwydd: cyn amled oedd yr holi amdani hi ag am neb arall o'r teulu – os nad amlach. Ychydig flynyddoedd yn ôl bûm yn ail-fyw ein blynyddoedd ym Mhorthmadog a Borth-y-gest ar gyfer cyfres deledu. Gafr fenthyg oedd ar gael, a fu erioed y fath strach. Er roedd yna un neu ddau yn dal i gofio'r afr wreiddiol yn Gelliwig ond yn holi pwy yn union oeddwn *i*.

Pur anaml, os erioed, y bu i enw'r Canon Alwyn Rice Jones o Borthmadog – mwy na f'enw innau o ran hynny – yn ymddangos yng ngholofnau'r *Daily Mirror*, ond dyna ddigwyddodd ychydig ddyddiau'n ôl. 'Gardens that got the parsons' goat' oedd y pennawd annelwig. Ymddangosodd ei llun mewn papur dyddiol Saesneg arall gan ei disgrifio hi fel 'the Ecumenical Goat'. O ran hynny, nid bob dydd y bydd Adran Newyddion BBC Cymru yn rhuthro i Borthmadog ar bnawn Sul, i geisio dal y ficer rhwng dwy oedfa. A pheth lled anarferol yw gweld gohebydd a thynnwr lluniau'r *Cymro* yn galw heibio i ni'n dau ddwywaith o fewn yr un diwrnod. Ac fe wnaed yr holl halibalŵ ar gorn un afr – wen, wen, wen. Mae'n arfer bellach gan holl weinidogion ac offeiriaid tref Porthmadog gyfarfod ei gilydd ar yr ail fore Mawrth o bob mis i ysbaid o ddefosiwn, i yfed cwpanaid o de a cheisio gwireddu'r syniad o weinidogaeth tîm. Yn dilyn un o'r sesiynau, daeth y tîm i roi help llaw i mi i symud hanner tunnell o gwt o ffrynt y mans i'r gwylltir sydd yng nghefn y tŷ i fod yn gartref i'r afr. Dyna'r pryd y daeth gohebydd y *Cambrian News* ar ein gwarthaf. Yn ŵr crefyddol, disgrifiodd y cwt yn cael ei gario 'mor dyner seremonïol ag y byddai'r hen Israeliaid yn symud Arch y Cyfamod gynt'. Yna, llithrodd i bregethu, 'Da cofio, fodd bynnag, fod yr hwn piau'r gwaith yn defnyddio'r cyfryngau mwyaf annisgwyl ac annhebyg, weithiau, i glirio'r anialdir a'r diffeithwch' ac mai 'gyda'n gilydd y glanheir y borfa'. — Allan o rifyn o'r *Goleuad*

Dechrau *Byw*

Eirian Davies

Plentyn y Chwedegau llamsachus oedd y cylchgrawn *Byw.* A phlentyn siawns, ar ben hynny: fe'i ganed ym Mehefin 1964. Criw o feddyliau tebyg mewn pwyllgor *ad hoc* a'i cenhedlodd, a hynny heb unrhyw sicrwydd am ei ddyfodol. Perswadiwyd Eirian Davies – gweinidog lliwgar, bardd a maferig ymhlith pethau eraill – a minnau i fod yn olygyddion iddo. Fy unig hyfforddiant i a dweud y gwir oedd, am gyfnod, sgwennu colofn wythnosol i'r *Goleuad* yn ystod dyddiau coleg, cyn fferru'r gwaed. A dyma friwsionyn neu ddau:

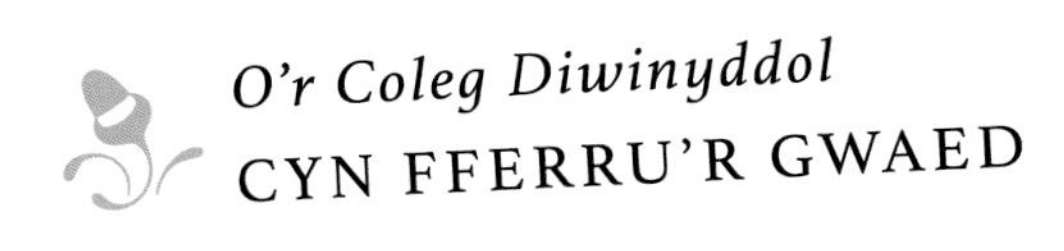

O'r Coleg Diwinyddol

CYN FFERRU'R GWAED

Pnawn Llun, cyn troi'n ôl i'r Coleg yn Aberystwyth, dyma fynd i draeth Pwllheli. Pnawn oer, tywyll oedd hi a'r awel mor fain â chyllell. Doedd yna neb yn ystelcian ar y traeth oer a'i dywod gwlyb y pnawn hwnnw. Roedd y môr yn hynod o gecrus ac roedd o a'r gwylanod yn ymaflyd codwm am y gorau. Mae gen i ofn bod y môr ychydig yn flin wrtha innau, oherwydd roedd o'n rhuo ac yn rhuthro i'm cyfarfod. Clywais, rhywdro, hen frawd o Lŷn yn personoli'r môr a'i alw yn 'Defi Jones'. Erbyn meddwl, mae gan y môr bersonoliaeth. Mae Defi'n gallu bod yn hwyliog ac yn hiraethus, yn ffyrnig ac yn ffraeth. Gwn mai'r un dŵr sy'n golchi wyneb du'r Coleg Diwinyddol ac sy'n bwyta'i ffordd i bentir Llŷn. Eto mae gwahaniaeth.

Bore Mawrth aeth rhai ohonom, fyfyrwyr am y weinidogaeth, i Lillian's Grill Room am banad unarddeg. Rhaid cyfaddef mai cymysglyd, a dweud y lleiaf, oedd y sgwrs – y dwys a'r direidus. Roedd perthynas i un o'r hogiau (heb feiddio enwi'r myfyriwr hwnnw) wedi prynu parot mewn siop yn Aberystwyth. Wedi mynd â'r deryn adref, a'i gadw'n frenhinol am dros wythnos, sylweddolwyd ei fod yn rhegi'n huawdl. Wedi peth ymgynghori aed â'r deryn yn ôl, a chynnal ymholiad pam roedd iaith y deryn mor an-Fethodistaidd? Ateb y siopwr oedd mai 'un o athrawon y

Coleg diwinyddol' oedd ei berchennog cyntaf. Amau'r stori wnes i. Hwyrach y bydda hi'n well i chithau beidio â'i choelio.

Neithiwr heidiodd criw ohonom i un ystafell i sôn am farddoniaeth ac am farddoni. Y mae barddoniaeth dda a barddoniaeth sy'n fwy na hynny. Gallaf ddweud fel Islwyn Ffowc Elis: 'Rhaid i chwi faddau, ysbrydoedd Gwynn Jones ac Islwyn a Dafydd ap Gwilym, pan ddywedaf mai ohonoch chwi oll fy ngariad cyntaf a'm llwyraf oedd Eifion Wyn.' Roedd gan John Pinion Jones, un o hogiau'r Diwinyddol, offrwm i'w rannu hefo ni:

Nid oedd yno, ond adfeilion,
Hen fynachdy llwm;
A mynyddoedd Sir Gaernarfon
Dan y caddug trwm.

Sgrech gwylanod ar yr heli -
Dim byd fawr bwys -
Cloch goleudy'n dweud 'i stori,
Honno'n stori ddwys.

E's yn ôl i'r lle un diwrnod,
Rhywun gyda mi,
Aur a pherlau oedd y tywod,
Asur oedd y lli.

Nid oedd adfail rhwng y blodau,
Pobman oedd fel nef,
Engyl gwyn ar frig y tonnau,
Clychau'n llon eu llef.

Troi i mewn i'r Home Cafe am banad a sgwrs. Dyma sôn am y Sul a'i ddifyrrwch a'i ddiflastod. Yr oedd hogyn o Lanelli wedi ei syfrdanu gan boster lliwgar ar fur rhyw eglwys neu'i gilydd, 'Seven days without prayer makes one weak.' Doedd y chwarae ar eiriau ddim at ddant pob un. Wel, os gall cath ddu, tafod coch, ddenu pobl i ddrachtio Guinness; a rhes o ddannedd gwyn, glân gael plant i ddefnyddio Gibbs, pam na all poster cofiadwy atgoffa Cristion o'r anghenraid i weddïo'n gyson?

Unwaith pregethais mewn eglwys grand yn un o drefi mawr Sir Gaernarfon. Un o hoelion wyth y Cyfundeb oedd wedi torri ei gyhoeddiad, a minnau ar yr unfed awr ar ddeg yn cael gwahoddiad i sefyll yn y bwlch. Pan soniais am y gwahoddiad wrth un o fyfyrwyr Llŷn ac Eifionydd (cewch chi ddyfalu pwy) dywedodd, 'Mae'n rhaid bod y pregethwyr cynorthwyol yn llawn hefyd.' Wedi oedfa'r hwyr cyhoeddwyd y byddai Seiat am ychydig ar ôl. Wedi i rai o'r brodyr sôn yn y Seiat 'cyfnod mor anodd ydi hi', gofynnodd y cyhoeddwr i mi, fel hyn, 'Mistyr Parri wnewch chi'n diweddu ni? Bûm yn pendroni peth. Penderfynais beidio â chymryd y cais yn llythrennol, ac adroddais y Weddi Apostolaidd.

Y bore yma, mewn darlith, soniodd yr Athro Rheinallt

Williams am y gwahaniaeth rhwng y syniad Groegaidd am ystyr hanes a'r syniad Hebreig. I ŵr o wlad Groeg roedd hanes y cread yn beth cwbl amhersonol a chredai fel awdur Llyfr y Pregethwr, 'nad oedd dim newydd tan yr haul'. Mae'r meddwl Iddewig yn tueddu i amseru a lleoli hanes, a'i gyfyngu i wlad arbennig. Credaf fod hanes i'r Cristion yn beth cwbl arbennig, oherwydd rhaid iddo feddwl amdano fel detholiad o ffeithiau yn hytrach na rhes o ddigwyddiadau. Yn wir, cnewyllyn ein patrwm hanes yw'r ffaith bod Mab Duw wedi dod yn Fab y Dyn: Ymhlith holl ryfeddodau'r nef / Hwn yw y mwyaf un.

Erbyn hyn, mae yna hysbysiad mawr i fyny yn y Coleg, yn cyhoeddi bod yr arholiadau wrth y trothwy. Y dyddiau hyn (oherwydd esgeuluso'r priod waith i sgwennu i'r *Goleuad*) yr wyf yn ail-fyw profiad un o wyddonwyr mawr y dydd: 'I seem to know more and more about less and less – eventually I will know everything about nothing.' Amser a ddengys.

H.G.P.

O fwrw golwg yn ôl dros hen rifynnau *Byw*, roedd o'n lliwgar, yn fentrus, yn heriol os nad yn feiddgar. Er enghraifft, roedd y rhifyn cyntaf un yn cynnig deg swllt ar hugain o wobr am gyfansoddi emyn pop ar un o alawon y Beatles, 'All My Loving', yn ogystal â thrafodaeth ar berthynas rhyw â phriodas. Meddai'r golygyddol cyntaf un, 'dywedwn yn blaen mai un o amcanion *Byw* yw mynd â'r efengyl i aelwydydd Cymru.'

O ran fformat, wedyn, roedd o i *fod* yn wahanol; natur y cynnwys, y lluniau a'r gwaith dylunio oedd i greu'r gwahaniaeth hwnnw. Ar y pryd, aceri o brint oer a fawr ddim mwy oedd cynnwys y cylchgronau enwadol. Gyda'r *Byw* newydd, ar dro fe ddichon mai'r llun ar y clawr, yn awgrymu beth oedd tu mewn, a ddenai gwsmeriaid: Mike England, y pêl-droediwr, a'i ysgrif ar 'bwysigrwydd byw yn lân' neu Dafydd Iwan, ifanc, yn sôn am bopeiddio'r efengyl i gwrdd â gofynion oes newydd. Ar glawr un rhifyn roedd llun hanner cant o gyplau newydd briodi ar draeth yn Jersey yn ffurfio siâp calon ac ysgrif heriol gan Hafina Clwyd am y 'galon borffor', *dexamyl*, un o gyffuriau poblogaidd yr ifanc bryd hynny. Yn Awst 1965, wedyn, llun cloriau cyfrolau beiddgar, megis *Lady Chatterley's Lover*, a *Fanny Hill* i gyd-fynd ag ysgrif ar beryglon pornograffi.

Un anfantais oedd nad oedd gan y cylchgrawn newydd berchennog. Cwmni Woodall, Gwasg Cambria, a'i bencadlys yn Rhosnesni, Wrecsam, a ofalai am yr argraffu. Elw'r gwerthiant a'r taliadau am hysbysebion oedd yr unig incwm ac a dalai'r holl

Y GALON BORFFOR

gan

HAFINA CLWYD

YMAE llawer o sôn y dyddiau hyn am fabolgampau'r "Mods a'r Rockers." Nid âf i olrhain y gwahaniaethau rhwng y ddwy garfan yma o gymdeithas, ond un peth a ddadlennwyd yn y 'post mortems' ar y fandaliaeth diweddar oedd bod rhai ohonynt yn methu cofio'u campau—'roeddynt tan ddylanwad y cyffur a elwir ar lafar "y calonnau porffor," neu fel y dywedant hwy "we were blocked."

Cymysgedd o dexamphetamine a barbitone,—a adwaenir yn fwy cyffredin fel amphetamine—yw'r cyffur arbennig hwn. Fe'i defnyddir yn feddyginiaethol i drin pobl sy'n dioddef o flinder ac ysbryd isel; y felan, os mynnwch. Gellir hefyd ddefnyddio'r grŵp yma o gyffuriau (amphetamine) i drin pobl sy'n rhy dew. Y mae yn y cyffuriau allu i roi teimlad o fodlonrwydd ecstatig (euphoria) a hefyd y pŵer i gadw un yn effro am gyfnod hir heb deimlo blinder.

Ond os defnyddir hwy am gyfnod maith fe allant achosi anniddigrwydd nerfus, gyda'r canlyniad y bydd y dioddefydd yn or-bryderus a digalon, yn fythol-ar-binnau. Gall hyn arwain at anhwylderau meddyliol a hunan laddiad. Achosir hefyd amnesia, gorbwysedd-gwaed, chwys, calon-guro ac anesmwythdra seicotig. ac aiff y dioddefydd yn slâf siecolegol iddynt.

Cael Cic - Ond . . . !

I'r ieuenctid brŵd ac amrwd sy'n meddwl mai Bywyd gyda B fawr yw bod ar eu traed drwy'r nos yn dawnsio ac yn crochlefain yng nghlindarddach y clybiau amheus y mae'r calonnau porffor yn amheuthun i'w cadw ar ddihun am nosweithiau bwygilydd heb deimlo blinder. Cânt gic o'u defnyddio a theimlant yn orhyderus, yn wrol a chalon-ysgafn, ysgafala, a chollant bob teimlad o

28

gostau. Gwaith cwbl wirfoddol oedd golygu *Byw*. I mi, golygai deithio'n fisol o Uwchaled i Wrecsam – ac o Borthmadog yn nes ymlaen – i dreulio diwrnod digon hir ym mhencadlys y cwmni.

Wrth gwrs, petai'r ddau ohonom yn enwadwyr selog fydden ni ddim wedi bwrw ati.

Does gen i ddim cof fod gan y cyfarwyddwyr ddiddordeb penodol yn amcanion y cylchgrawn nac yn natur y cynnwys. Saesneg fyddai iaith pob trafodaeth ond bu'r cydweithio'n un hapus ddigon. Y golygyddion, mwy neu lai, a ofalai am bob dim arall. Er enghraifft, athrylith Eirian fel ieithydd a ddiogelai safon ac ystwythder y Gymraeg. A sôn am yr hysbysebion wedyn – anadl einioes y cylchgrawn – Eirian, i bob pwrpas, oedd yn gyfrifol am y rhai hynny hefyd. Dw i'n dal i glywed y llais esmwyth, araf hwnnw, yn nhafodiaith Myrddin, yn cyfarch y Bwrdd Croeso neu Nwy Cymru, TWW neu Morny of Regent Street – oedd â'i '*cologne* i ddynion am 15/-' yn 'rhoi dyn uwchben ei ddigon': 'Shwd wyt ti heddi? 'Ti'n weddol w? Shgwl yma nawr ...'

'Ni charem feddwl fod *Byw* yn milwrio mewn unrhyw ffordd yn erbyn y cylchgronau enwadol sy eisoes ar gael,' meddai'r ddau ohonom, ar y dechrau un. O edrych yn ôl, a chofio'r amcan o'i gyhoeddi, honni'r amhosibl oedd dweud peth felly. Ar un wedd, rhyfyg oedd cytuno i roi cylchgrawn crefyddol newydd ar y farchnad a'r hen gylchgronau enwadol yn colli tir. Wrth gwrs, petai'r ddau ohonom yn enwadwyr selog fydden ni ddim wedi bwrw ati.

***Dwedwn** . . .*

Eisteddai'r dyn lledr ar ei foto beic. Safai'r moto beic tu allan i'r Hen Gapel. Un o'r 'rocars' oedd o, meddan nhw. Roedd ei foto beic yn sgleinio fel dydd o ha', prun bynnag.

Mentrais ei holi. Hen foi iawn am sgwrs.

'Fyddwch chi byth yn mynd i'r capal?'

'O, byth.'

'Lle'r ewch chi heno?'

'Hefo'r hogiau ... Harlech, Bangor, Benllech, Abersoch neu Ddinbych. Rhwla fel bydd yr hwyl.'

Rhoddodd un gic i'w foto beic, ac ni welais ddim ond mwg y moto beic ar gongl y stryd. Buaswn yn credu ei fod yn cael cic o fywyd, oni bai fy mod yn gwybod ei fod yn llyncu 'calonnau porffor' [cyffur gweddol ddof, poblogaidd iawn ar y pryd, yn benodol i ymladd iselder ysbryd] ac weithiau'n meddwi'n gorn.

Beth sydd gan yr Eglwys i'w gynnig iddo? Hen gapel tywyll o'r ganrif o'r blaen. Penawdau fel hyn yn y papurau newydd – 'Ysgol Sul i gau', 'Colli'r ifanc o'r eglwysi'. Ninnau fel gweinidogion mewn Sasiwn a Synod yn llusgo peiriant trwm a distaw ar ein hôl – yn hytrach na bod y peiriant yn ein tynnu ni. Oes gennym rywbeth i'w gynnig? Oes!

Mae achos Crist yn mynd yn ei flaen. Rhaid i ffurf a threfn newid. Rhaid i iaith ystwytho. Rhaid i ni ennill Cymry ifanc i Grist. Mae adnabod Crist yn iawn yn rhoi mwy o gic i fywyd nag unrhyw bilsen. Os wylodd Alecsander Fawr am nad oedd mwy o'r byd i'w goncro, pa raid i ni ddigalonni. Y Byw iawn yw byw i Grist. — *Byw*, Gorffennaf 1964, yr ail olygyddol a'r cyntaf i mi; 'Y Galon Borffor' oedd erthygl arweiniol y rhifyn.

Bu cryn ymaflyd codwm, do. 'Nid yw ci yn bwyta ci' oedd rhybudd Huw Roberts i ni ar y dechrau un gan ddyfynnu idiom Saesneg cyfarwydd iawn. Y fo a olygai'r *Goleuad* ar y pryd a fo oedd fy rhagflaenydd i yn fy ngofalaeth gyntaf. Yn wir, arferai un o bregethwyr poblogaidd y cyfnod, J. W. Jones, gyfeirio at y cylchgrawn, o bulpud a sêt fawr, fel *Y Byw Sy'n Cysgu* – teitl nofel lwyddiannus Kate Roberts ddegawd ynghynt. Doedd hynny ddim yn wir ond roedd o'n rhoi rhagor poblogrwydd i'r pregethwr. Unwaith, yn nes ymlaen, bu bygwth cyfraith ar y golygyddion a'r cyhoeddwyr, a hynny gan yr enwad a'n cyflogai ond stori i'w hadrodd yn nes ymlaen ydi honno.

Nid gostyngiad yn nifer y cwsmeriaid a ddaeth â *Byw* i ben yn niwedd 1966. Meddai sylw yn y wasg yn Ionawr y flwyddyn honno, 'Y mae'n hyfryd sylweddoli fod *Byw* wedi ennill ei blwyf ac ennill ei le ar aelwydydd Cymreig y wlad.' Nid oedd unrhyw brinder deunydd chwaith. Ond cyhoeddwyd yn rhifyn mis Medi fod Eirian Davies, 'wedi dwy flynedd o ofal cyson, caled am y cylchgrawn' (heb fod yn rhy dda ei iechyd, ar ben hynny) yn 'rhoi heibio'r olygyddiaeth'. Minnau'n ychwanegu 'dros dro gobeithio'.

Cartŵn gan Gareth Maelor o rifyn olaf *Byw*, Tachwedd 1966.

Daeth cyfaill coleg i mi, a gweinidog ar y pryd, Gareth Alban, i sefyll yn y bwlch. Ddeufis yn ddiweddarach, a ninnau newydd osod rhifyn mis Tachwedd, bu'n rhaid cyhoeddi mai hwnnw fyddai'r 'rhifyn olaf dros dro, a hynny oherwydd anawsterau gyda chyhoeddi'. Cynnydd cyson yn y costau argraffu oedd y bwgan a ninnau heb gysgod unrhyw sefydliad neu enwad. Chwarae teg, gwnaeth yr argraffwyr ymdrech lew i leihau'r costau; mae'r salach graen sydd ar y rhifynnau olaf yn braw o hynny.

Os dysgais i rywbeth oddi wrth rywun erioed am newyddiadura a golygu cylchgrawn, ac am y wefr o fod yn weinidog o ran hynny, Eirian oedd hwnnw.

Arferai [Eirian] ddweud mai'r drasiedi o golli ei frawd tra oedd y ddau yn nofio yn afon Tywi a'i gyrrodd i fod yn weinidog: Eirian yn bedair ar ddeg a'i frawd, Emyr, yn rhyw bedair blynedd yn hŷn. Ei ddymuniad, yn ôl soned a gyfansoddodd, 'Y Daith Ola', oedd i'w lwch gael ei 'daflu'n gwmwl dros y wal i'r dŵr' yn yr union fan ag y bu'r anffawd enbyd. Gofynnodd ymlaen llaw, i weinidog, a'i gyfaill yntau, Cynwil Williams, ofalu am hynny. Dyna ddigwyddodd ddiwedd Gorffennaf 1998:

> Pan ddwg yr afon ymaith yn ei chôl
> Y dyrnaid llwch, ac ni ddof byth yn ôl.

Ychydig flynyddoedd yn ôl bûm yn sefyll yn yr union fan, wrth bont Llandeilo, i ffilmio eitem amdano. Ac os na ddaeth 'y dyrnaid llwch' i'r wyneb y pnawn hwnnw, i mi, fe ddychwelodd Eirian yno. Do, a dŵad â blynyddoedd gleision dechrau *Byw* i'w ganlyn.

Helynt Llyfrgell Coleg y Bala

Ar fore Mawrth yn niwedd mis Tachwedd 1965 y daeth yr alwad ffôn i swyddfa Gwasg Cambria yn Rhosnesni; dŵad fel roedd y peiriannau ar ddechrau troi i argraffu rhifyn mis Rhagfyr o'r cylchgrawn *Byw*. 'Llyfrgell y Bala, fy marn onest, gan Stephen O. Tudor' oedd un o'r erthyglau yn y rhifyn hwnnw. Yna, wrth ei hochr, llun o'r awdur yn ei regalia – roedd o newydd ei ethol yn Llywydd y Gymdeithasfa yn y Gogledd – a llun Coleg y Bala ar y dudalen gyferbyn.

Ein rhybuddio ni, ond yn garedig, oedd bwriad y gŵr ar ben arall y ffôn. Gweinidog hefo'r Hen Gorff oedd yntau fel ninnau'n dau. Gwneud hynny roedd o yn enw un o bwyllgorau'r Gymdeithasfa yn y Gogledd. O gyhoeddi'r erthygl, a bod ynddi achos o enllib, gallai olygu y byddai'n rhaid i ni'n

LLYFRGELL Y BALA

FY MARN ONEST

gan

STEPHEN O. TUDOR

Bwriadai BYW gyhoeddi yma ysgrif y Parchedig Stephen O. Tudor (Llywydd Etholedig Sasiwn y Gogledd) ar fater Llyfrgell y Bala.

Fodd bynnag, er ei bod wedi ei gosod, bu'n rhaid tynnu'r ysgrif o'r cylchgrawn ar y funud ola yn bennaf oherwydd ymyrraeth o'r tu allan.

Gadewir y colofnau mwyach yn wag fel arwydd o brotest BYW yn erbyn unrhyw fygythiad i fygu barn.

270

Byw, Cyfrol 2, Rhagfyr 1965 Rhif 1 tudalen 270:

'Bwriadai BYW gyhoeddi yma ysgrif y Parchedig Stephen O. Tudor (Llywydd Etholedig Sasiwn y Gogledd) ar fater Llyfrgell y Bala.

Fodd bynnag, er ei bod wedi ei gosod, bu'n rhaid tynnu'r ysgrif o'r cylchgrawn ar y funud ola yn bennaf oherwydd ymyrraeth o'r tu allan.

Gadewir y colofnau mwyach yn wag fel arwydd o brotest BYW yn erbyn unrhyw fygythiad i fygu barn.'

Ateb y Presbyteriaid erioed i bob rhyw aflwydd ydi pwyllgorau!

dau wynebu achos llys beth bynnag. Carchar? Na, go brin. Dim byd mor eithafol â hynny. Eto, pwy a ŵyr? Yna, fe ddaeth â'r sgwrs i ben yn hyfryd ddigon, 'Dyna ni, cofiwch fi at bawb.'

'Wormood Scrubs fydd hi,' meddai Eirian. 'Wandsworth,' meddwn innau. Roedd Syr David Hughes Parry, Athro yn y Gyfraith, yn rhan o'r drafodaeth. Fe wyddai gŵr felly sut i gael maen yr enwad i'r wal os byddai galw am hynny.

Penderfynodd Eirian anfon yr erthygl ffrwydrol, meddid, i fargyfreithiwr adnabyddus (a dweud eto, os bu gŵr erioed a chanddo gyfeillion mewn mannau annisgwyl) a chafodd gyngor, yn ddi-dâl, nad oedd ynddi, yn ei farn ef, achos o enllib. Penderfynwyd, felly, y byddem yn mentro ei chyhoeddi. Ond cafodd yr argraffwyr draed oer a dyna hi'n ffliwt.

Gwell rhoi mymryn o gefndir i'r stori, hwyrach. Yn nechrau'r Chwedegau roedd Coleg y Bala ar fin newid ei bwrpas. Un myfyriwr ac un Athro oedd yno a phenderfynwyd canoli'r gwaith yn y Coleg Diwinyddol yn Aberystwyth. Ond beth am y cyfoeth llyfrau oedd yno? Roedd yn y Bala, meddid, y 'llyfrgell ddiwinyddol orau yng Nghymru'.

Ateb y Presbyteriaid erioed i bob rhyw aflwydd – o ffliw mawr i dywydd enbyd, dyweder – ydi pwyllgorau. Bu pwyllgorau, a phwyllgorau, a

Glyn Tegai yn dilyn trywydd

LLYFRGELL COLEG Y BALA

Syr David Hughes Parry

Diddorol darllen erthygl Harri Parri ar helynt gwerthu llyfrau Coleg Y Bala, ac fe'm prociodd i wneud o'r diwedd yr hyn y bu erthygl flaen Y Casglwr yn galw amdano yn rhifyn Mawrth 1989 : " Yn y Bala yn y chwedegau cynnar y bu bargen fawr y ganrif – a'r sgandal lyfryddol fwyaf...Os oes yna atgofion am y fargen a'r arwerthiant mawr a rhyfeddol hwn – mae'r Casglwr gennych i adrodd eich stori ynddo." Gan mai ychydig iawn ohonom a fu yn yr ocsiwn sydd ar ôl bellach, efallai mai priodol yw i mi, fel cwsmer, geisio hel ychydig atgofion.

Daethum i Gregynog fel y Warden cyntaf ym mis Ebrill 1964, ond yr oeddwn eisoes wedi ymrwymo i fod mewn cynhadledd yn yr Almaen am y pythefnos gyntaf ym mis Medi. Cyrhaeddais yn ôl ar y dydd Sul,13 Medi, ac ymhlith yr ohebiaeth yn f'aros roedd cerdyn post, nid wyf yn cofio ai oddi wrth E.D.Jones y Llyfrgellydd Cenedlaethol neu David Jenkins Ceidwad Llyfrau Printiedig ar y pryd, yn tynnu fy sylw at yr ocsiwn oedd i fod yn Y Bala ar y dydd Mercher. Ffoniais gyn-brifathro'r Coleg, Y Parch. R. H. Evans, i geisio mwy o fanylion. Croeso ichwi fynd yno cyn hynny i gael golwg ar bethau, meddai, ac felly Y Bala amdani ar y dydd Llun.

Gwerthiant y llyfrau yn nwylo ysgolheigion

Roedd trefniadau gwerthu'r llyfrau yn

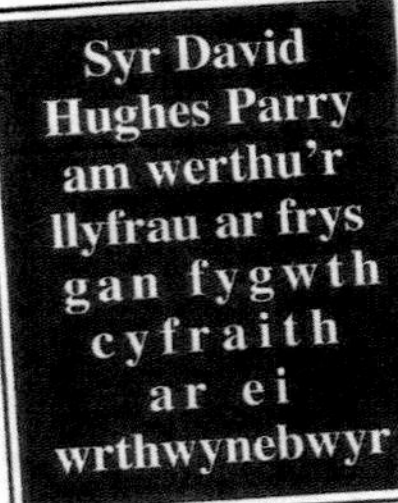

ymddangos yn bennaf yn nwylo athro ysgolheigaidd a hynaws o'r Coleg Diwinyddol yn Aberystwyth, ond annhegwch amlwg oedd disgwyl iddo fod yn gyfarwydd â'r holl feysydd a gynrychiolid yn y casgliad o ryw 30,000 o lyfrau, casgliad oedd, gyda llaw, yn cynnwys y brif ran o lyfrgelloedd cyn-brifathrawon ac -athrawon, sef Thomas Charles Edwards (roedd mynegai o'i lyfrgell ar gardiau), Ellis Edwards a Hugh Williams. Nid teg 'chwaith oedd disgwyl i'r prisiwr fod yn gyfrifol am brofi dilysrwydd pob un oedd wedi cymryd mantais o'r penderfyniad, eithaf teg, i roddi blaenoriaeth i weinidogion yr Hen Gorff yn yr wythnosau cyntaf. Tybed a oedd gwirionedd yn y stori am fan o Gaerdydd gyda nifer o gasglwyr mewn coler gron ? Soniwyd hefyd am bamffledi hynod brin, un unigryw, meddid, yn dwyn llofnod yr archesgob William Laud.

Syr David Hughes Parry am werthu'r llyfrau ar frys gan fygwth cyfraith ar ei wrthwynebwyr

Sut bynnag, ar y dydd Llun cefais ganiatâd i ddethol nifer go dda o lyfrau a chylchgronau, yn bennaf yn ymwneud â'r ieithoedd Celtaidd ac â hanes Cymru, ar gyfer y llyfrgell yng Ngregynog, a chytuno pris amdanynt. Nid wyf, wedi treigliad y blynyddoedd, yn cofio i sicrwydd beth oedd y swm, ond yr argraff sydd gennyf yw mai tua hanner can punt yd[illegible]. Cefais hefyd brynu rhyw hanner [illegible] i mi fy hun. Roedd [illegible]

Diddorol darllen erthygl Harri Parri ar helynt gwerthu llyfrau Coleg Y Bala, ac fe'm prociodd i wneud o'r diwedd yr hyn y bu erthygl flaen Y Casglwr yn galw amdano yn rhifyn Mawrth 1989 : " Yn y Bala yn y chwedegau cynnar y bu bargen fawr y ganrif – a'r sgandal lyfryddol fwyaf...Os oes yna atgofion am y fargen a'r arwerthiant mawr a rhyfeddol hwn – mae'r Casglwr gennych i adrodd eich stori ynddo." Gan mai ychydig iawn ohonom a fu yn yr ocsiwn sydd ar ôl bellach, efallai mai priodol yw i mi, fel cwsmer, geisio hel ychydig atgofion.

phenderfynwyd symud y llyfrau a fyddai o ddefnydd, rhwng 6,000 a 7,000 ohonyn nhw, gyda'r Athro a'i unig ddisgybl i Aberystwyth. Yna, cynnig y gweddill 'am brisiau rhesymol i weinidogion y Cyfundeb'. Hynny ydi, y nhw o leiaf i gael y cynnig cyntaf.

Ymddangosodd hysbyseb am hynny mewn rhifyn o'r *Goleuad*: 'Yn unol â'r hawliau a roesid yn y Gymdeithasfa ym Mhwllheli y llynedd, bwriedir gwerthu nifer sylweddol o gynnwys y llyfrgell am brisiau rhesymol i weinidogion y Cyfundeb. Bydd Coleg y Bala yn agored i'r pwrpas hwn ar y dyddiau canlynol: dydd Llun, Mehefin 22, o 10 hyd 4; dydd Mawrth, Mehefin 23, o 10 hyd 4.' Ac felly y bu hi.

Ond fel gyda'r bara a'r pysgod yn hanes porthi'r pum mil yr oedd 'gweddill' – gweddill lawer. Ar wahân i rai trysorau a aeth i sefydliadau eraill, a gwerthu *Llyfrau Gregynog* yn Sotheby's, rhoddwyd y gweddill ar ocsiwn, 16 Medi 1965. Wedi'r arwerthiant hwnnw yr aeth hi yn dân. Mae stori gwasgaru llyfrau Coleg y Bala yn stori sydd wedi dal i gerdded.

Breuddwyd pob casglwr llyfrau yw syrthio ar fargen fawr ... Ond yn y Bala yn y Chwedegau y bu bargen fawr y ganrif – a'r sgandal lyfryddol fwyaf ... Fe fu'r arwerthiant ar bnawn Sadwrn heb ei phriodol hysbysebu o gwbl. Oddi yno yr aeth llwyth helaeth iawn i'r Gelli Gandryll ac un llawn cymaint i dde Lloegr ... Ond bu'r prynwyr unigol yno cyn hynny yn dewis yn hael ac yn cael am y nesaf peth i ddim. Un Cymro adnabyddus wedi sicrhau chwech ugain o gyfrolau da am wyth bunt – sef dau swllt (hen bres) y copi, waeth beth oedd y gwerth. Erbyn heddiw mae'r casgliad hwnnw'n unig yn werth yn rhywle yng nghyffiniau'r llai na dwy fil o bunnau y sibrydir a gafwyd am yr holl lyfrgell werthfawr. — 'Sgandal Llyfrgell Coleg y Bala', *Y Casglwr*, Mawrth 1989

Y cadfridog a daniodd yr ergyd gyntaf oedd y Parchedig S. O. Tudor a hynny ddeufis ynghynt mewn rhifyn o'r *Cymro*: 'Camwri enfawr wrth wasgaru llyfrau Coleg y Bala' oedd y pennawd. Roedd o'n weinidog, yn ysgolhaig diwinyddol ac yn un a fu'n filwr yn y Rhyfel Byd Cyntaf ac yn gaplan yn ystod yr Ail Ryfel Byd. Yr un mis, mewn Sasiwn yn Llangollen, roedd Tudor wedi chwipio'r 'Pwyllgor Gwasgaru', chwedl yntau, am gambrisio llyfrau prin a'u gwerthu nhw o dan eu gwerth. Roedd o ei hun 'wedi prynu saith cyfrol o waith Schurer, gwerth tua seithbunt, am bymtheg swllt'. Trwy ryw ryfedd wyrth, neu dwyll, llwyddodd D. Tecwyn Lloyd, y llenor a'r ysgolhaig, i gael ei drwyn i mewn yr un pryd â'r gweinidogion. Cyfaddefodd, 'Y tro cyntaf dewisais ryw ugain o lyfrau a oedd, yn fy marn i, yn werth rhwng £15 ac £20. Ychydig dros dair punt oedd

Y llyfrgell a aeth 'rhwng y cŵn a'r brain'

y cwbl.' Ei farn oedd i'r enwad golli rhwng £16,000 a £20,000 ddiwrnod yr arwerthiant.

Rhoi chwip din arall i aelodau'r pwyllgor a drefnodd yr ocsiwn, a manylu ymhellach, oedd amcan yr ysgrif a anfonodd S. O. Tudor i *Byw*. Am ryw reswm roedd hi wedi'i theipio mewn inc gwyrdd; byddai coch, lliw tân, yn fwy cydnaws â'i chynnwys. Mae hi ar gael o hyd, o dan glo. I lenwi'r bwlch fel petai, a hithau'n unfed awr ar ddeg, awgrym Eirian oedd ein bod ni yn cyhoeddi dwy dudalen wag ac eithrio'r lluniau. Os bu enghreifftiau erioed o beidio â chyhoeddi'n fwy effeithiol na chyhoeddi, byddai hwn yn ddiamau yn un ohonyn nhw. Ymddangosodd y stori yn rhai o bapurau Lloegr; y pennawd yn un oedd, 'The White Paper on Bala College.'

Eithaf y frwydr oedd S. O. Tudor yn herio Syr David Hughes Parry: 'My Challenge to Sir David' oedd y pennawd yn y *Caernarvon and Denbigh Herald*, ddiwedd Rhagfyr 1965. Yn drasedïol, collodd Syr David ei briod ar yr union ddiwrnod y cyhoeddwyd yr erthygl honno. Cyd-ddigwyddiad anffodus oedd hynny. Bu'n rhaid i S. O. Tudor ymddiheuro'n dyner a bwyta bara gofidiau.

Cilio o'r frwydr fu hi wedyn, o boptu, er i olygyddion *Byw* gael eu gwysio i ymddangos mewn Sasiwn a gynhaliwyd yng Nghroesoswallt ym Mai

1966. Chawson ni na dirwy na charchar, diolch byth. Yno, mwy neu lai, y daeth y frwydr i'w therfyn. Rhyfedd deall, wedi'r brwydro hir, mai'r sylw fod 'y llyfrgell wedi mynd rhwng y cŵn a'r brain' oedd yr unig gymal a ystyrid yn enllibus.

Y clwy sgwennu 'ma

Un gred ydi mai dal y chwilen mae rhywun; writers' bug ydi'r term Saesneg. Hynny ydi, o fod yng nghwmni rhywun sy'n dioddef yn barod neu o fyw mewn cynefin lle mae'r afiechyd ar gerdded. I rai wedyn mae'r aflwydd, meddir, fel petai yn y genynnau'n barod.

Bu gwaith Islwyn Ffowc Elis yn ddylanwd mawr arna i. Edmygais ei ostyngeiddrwydd bron cymaint â'i athrylith.

Mae hyd yn oed y gwir lenorion fel pe'n dioddef o'r aflwydd: Kate Roberts, unwaith, yn datgan y byddai'n rhaid iddi 'ysgrifennu neu fygu' ac meddai'r nofelydd Evelyn Waugh, 'I must write prose or burst.' A does dim gwella'n llwyr, mae'n debyg. Mi fydda i'n meddwl am Catherine Cookson – a gyhoeddodd oddeutu 100 o gyfrolau, a'u gwerthiant yn fwy na 100 miliwn – wedi croesi'i 90 oed, yn orweddiog ac yn rhannol ddall, yn llefaru'i nofelau i beiriant recordio.

Mae'n bosibl mai etifeddu'r haint fu fy hanes innau. Er fy mod i gyda'r mwyaf rhyddieithol yn bod, roedd fy nhaid a'i ferch, chwaer Mam, fel y cyfeiriais eisoes, yn feirdd gwlad a'u gwaith ysgrifennu nhw'n ymddangos mewn papurau newydd a chylchgronau. Roedd y symptomau yn fy mhoeni i o dro i dro yn nyddiau ysgol. Mi wn yn union pryd y torrodd yr afiechyd allan. Cyn gadael ysgol, dyma dderbyn copi o *Cyn Oeri'r Gwaed* Islwyn Ffowc Elis yn wobr, mewn cystadleuaeth siarad cyhoeddus a drefnwyd gan Ffederasiwn Cenedlaethol Clybiau Ffermwyr Ifanc – a meddwi ar y gyfrol.

Heb unrhyw ddawn cofio na sgiliau generig i nabod llenyddiaeth dda mi fedrwn, o'i darllen a'i darllen, adrodd paragraffau ar fy nghof: 'Mi awn eto i Soar. O bob Soar sy'n sefyll yn llwyd ei furiau yn hafnau Cymru, nid oes ond un Soar i mi … Gallwn fynd â Soar gyda mi, beth bynnag sy dros y goror yn y byd a ddaw. Soar yw fy nhystysgrif fod i mi, pa mor gymhleth bynnag wyf heddiw ac anodd fy nhrin, garu 'Ngwaredwr yn annwyl pan oeddwn i'n ddim-o-beth rhwng ei furiau ef.' Ac mi fyddwn yn newid 'Soar' am 'Smyrna' – fy mam eglwys innau – i ddatgan profiad tebyg.

Gyda'r blynyddoedd, cefais gyfle i nabod Islwyn, i edmgygu ei ostyngeiddrwydd bron gymaint â'i athrylith. Bu'n garedig ei eiriau wrth rai a gyrchai at y nod heb erioed ddod yn agos at ei gyrraedd. Ond gallaf honni fel Islwyn Ffowc Elis unwaith, mewn cyfweliad i'r *Genhinen*: 'Beth gefais i o lenydda? Gollyngdod, dihangfa weithiau, gwefr a gwae, y pleser pur o hel fy mysedd hyd adnoddau rhyfeddol yr iaith Gymraeg – a llawer mwy.'

Modryb Mary, chwaer fy mam, oedd y bardd cyntaf erioed imi'i weld wrth ei waith. Mi fedra i ei gweld hi rŵan yn ei phlyg uwchben bwrdd y parlwr, yn llewyrch y lamp baraffîn ac yng ngwres y tân glo, yn cwblhau a chaboli'i cherdd flynyddol am bawb o blwyfolion Llanengan a fu farw yn ystod yr hen flwyddyn. Bu wrth y gwaith hwnnw am yn agos i ddeugain mlynedd. Roedd y gerdd honno i ymddangos yn fuan wedyn ar dudalennau'r *Udgorn* neu'r *Herald Cymraeg* ac mi fyddai yna ddisgwyl mawr amdani. Roedd ei thad, fy nhaid, yn fardd; un rhagorach o bosibl. At ei gilydd, dyrïau crefyddol oedd eu deunydd. Er nad ydw i'n fardd, eto wrth ei gwylio hi'n creu fe sylwais innau, am y tro cyntaf erioed, ar yr hyblygrwydd hwnnw a berthyn i'r wyddor Gymraeg. Wrth weld Modryb Mary wrthi ar Galan yn sgwennu ac yn rhwbio allan, yn derbyn gair ac yna'n ei wrthod, yn stryglo efo'i chreadigaethau, y sylweddolais i fod yr wyddor Gymraeg yn ddwyfol a'i bod hi mor ddihysbydd â bywyd ei hun. Mae'n bosibl, wedi'r cwbl, mai ym mharlwr cyfyng Tyddyn Talgoch, ar Benrhyn Llŷn, y daliais innau'r hen glwy sgwennu 'ma.

Lansio *Hiwmor Pobl Capel*, William Owen, yng Nghapel y Porth, Porthmadog, Hydref 2014. O'r chwith i'r dde: Christopher Prew, Gwynne Wheldon Evans, Myrddin ap Dafydd, Glyn Williams, Fflur Thomas a'r diweddar Gwyn Thomas.

Serch i mi fod yn sgwennu a chyhoeddi cyn hynny, pan oedd dyddiau Dyffryn Madog yn tynnu at eu terfyn yr es i ati i lenydda fel dihangfa. Nid bod a wnelo'r amgylchiadau yn y fro honno ddim â'r peth. Yn wir, yn y Port roedd pethau'n fywiocach nag mewn sawl man a'r gefnogaeth yn un garedig. Ond yn fy ngwaith bob dydd, a gwaith gweinidog yn gyffredinol, roedd yna bethau a oedd yn peri dryswch meddwl i mi a chwestiynau nad oedd ateb ar eu cyfer nhw. Eto, doeddwn i ddim yn teimlo fel troi cefn ar y byd hwnnw chwaith.

Ar risiau'r Coleg ar y Bryn ym Mangor y cwrddais i â William Owen am y waith gyntaf. Ein dau newydd gyrraedd yno. Wil o eithaf arfordir gogledd Môn a finnau o'r tu hwnt hwnnw a berthyn i Benrhyn Llŷn. Ein dau yn leision, goblyn. Y fo, os dwi'n cofio'n iawn awgrymodd – yn barchus ddigon bryd hynny –'be am fynd i ga'l tamad i fyta?' Erbyn i mi lanio yn y Port roedd o yno, yn athro ysgol, yno ac i briodi hefo Susan, merch o'r dre. Do, daeth cyfle nas cefais na chynt nac wedyn i drafod llenydda – nid trafod llenyddiaethau. Bu'n gychwyn gyrru cychod i'r dŵr i'r ddau ohonon ni. Fel meistr dihefelydd y ffurf, Parry-Williams, disgynnodd Wil yntau ar yr ysgrif fel cyfrwng; sgwennu mwy ohonyn nhw na fawr neb yn ei gyfnod a rhoi iddyn nhw o ran awyrgylch ac arddull y genynnau na pherthyn i'r un ysgrifwr arall. Cafodd cyfrolau megis *Robin 'Rengan Las a'i Debyg*, *Y Llanc Nad yw Mwy* ac eraill adolygiadau braf. A champ pob camp oedd ennill Y Fedal Ddrama yn Eisteddfod Genedlaethol Llangefni –a hynny ym Môn o bobman – yn '83. I gyfeiliant siswrn y byddai'r trafod yn aml; Susan oedd fy marbwr i bryd hynny. Yn unol â ffasiwn y Saithdegau rhyfygus roedd gen i fargod gweddol laes a phenderfynwyd, o weld llun posib o'r Pêr Ganiedydd, galw'r steil yn *Pantycelyn Cut*. Heb y trafod llenydda hwnnw a fu rhyngom a fyddwn i, beth bynnag, wedi mynd am yr inc gydol oes?

Roedd rhagfarnau crefyddwyr Oes Fictoria yn dal yn y tir.

Felly dyma fynd ati i greu byd y medrwn i ddianc iddo fo ar dro. Byd gweinidog a'i deulu a 'phobol capal' fyddai hwnnw. Gan imi yn nyddiau ysgol wirioni ar gyfrolau megis *Clawdd Terfyn* a *Storïau'r Henllys Fawr* ac yn nes ymlaen, yn Saesneg, gyfrolau afrifed P. G. Wodehouse, dyma syrthio ar y stori fer, a'r stori fer ffraeth fel cyfrwng. Dychmygu am weinidog llawchwith a gwraig iddo, a oedd yn fwy hirben, fel y cymeriadau canolog. Yna, creu cymanfa o gymeriadau lletchwith o'u cwmpas nhw a'u cael nhw i fyw o dan amgylchiadau heddiw. Dychan pethau oedd y bwriad: i beri difyrrwch a dihangfa i mi fy hun ac, o bosibl, pe ceid cyhoeddwr, i eraill.

Do, dros gyfnod o 40 mlynedd fe aeth y straeon i gerdded – gryn 80 ohonyn nhw. Ar wahân i'w cyhoeddi'n gyfrolau fe'u haddaswyd ar gyfer radio a theledu a'r llwyfan. Yn ffodus i mi rhoddodd actorion – Charles Williams yn y blynyddoedd cynnar a John Ogwen o hynny ymlaen – fywyd ac anadl i'r cymeriadau, eu cael nhw i symud ac yn fwy na dim rhoi llais a oedd yn unigryw i bob un.

Ar y dechrau un bu peth anfodlonrwydd. Roedd rhagfarnau crefyddwyr Oes Fictoria yn dal yn y tir: llenyddiaeth dychymyg yn bechod a hiwmor cyhoeddus i'w osgoi. Ffrwyth dychymyg dyn oedd nofel a drama ac nid gwaith Duw. Teimlad un

Hefo John Ogwen a roddodd lais ac anadl einioes i gymeriadau oedd gynt yn ddim ond inc ar bapur.

neu ddau oedd fy mod i yn fy straeon yn difrïo'r weinidogaeth ac yn goganu bywyd y capeli. Y gwrthwyneb oedd y bwriad beth bynnag. Yn wir, i mi, bu sgwennu yn gymorth i'm hangori yn y gwaith. Ac os bu'r cyfan yn iachawdwriaeth i mi roedd yna fwriad iddo fod yn ddihangfa i eraill.

Darlithio ro'n i yn Sir Fôn, un noson, a'r llywydd yn fy nghyflwyno gan roi bywgraffiad digon caredig – fel y bydd llywyddion. Mi ddechreuodd drwy gyfeirio at y baich straeon o'm heiddo roedd o wedi eu darllen, eu gwrando neu o bosibl eu gwylio erbyn hynny. Neu o leiaf wedi clywed amdanyn nhw. Yna

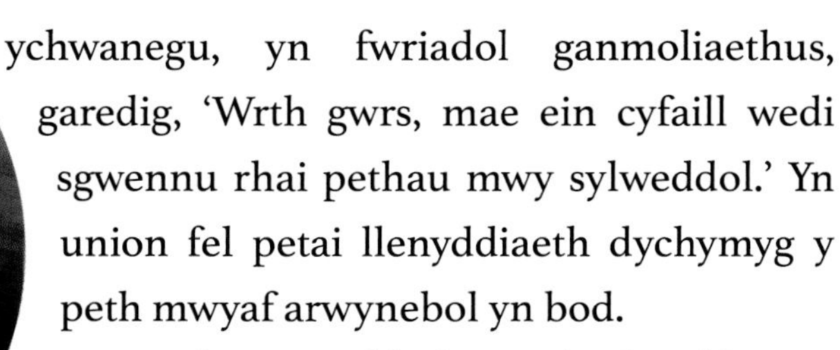

Y 'Fi' oedd Catrin Lliar Jones sy'n llenydda ei hunan.

ychwanegu, yn fwriadol ganmoliaethus, garedig, 'Wrth gwrs, mae ein cyfaill wedi sgwennu rhai pethau mwy sylweddol.' Yn union fel petai llenyddiaeth dychymyg y peth mwyaf arwynebol yn bod.

Erbyn meddwl, mae'n bosibl mai oherwydd tybiaethau o'r fath y bu i minnau, yn nes ymlaen, fynd ati i sgwennu ffurfiau eraill ar lenyddiaeth – cofiannau, amryw. Ond mae eisiau i unrhyw awdur fod â'i draed ar lawr achos, yn y pen draw, amser sy'n penderfynu a oes yna werth parhaol neu beidio yn y gwaith. Yn fy achos i, nac oes, mae'n debyg.

Mae yna lot ohonon ni wedi bod yna do, 'down in ddy dymps' go iawn, bywyd 'di mynd yn drech, ista yn y twnnel tywyll heb 'run llewyrch o olau yn dod o'r pen arall a dim gobaith o ddianc rhag y gofid dyddiol, diflas. Rwbath ddigwyddodd yn fy ngwaith yrrodd fi dros y dibyn i'r hen dwll diwaelod 'na, nôl yn 2003 cyn bod sôn am ŵr na phlant, pan yn mynd drwy gyfnod o fod nôl adra yn byw efo Mam a Dad ... Beth bynnag dyma haf 2003 yn dod a chynnig gan Mam a Dad i fynd i aros mewn *chalet* bach efo nhw am wsnos ar gyfer Steddfod Meifod. Wel, doedd dim amdani, nag oedd, ond rhoi cais ar drio troi cornel a hel 'mhaciau am Faldwyn a'r Gororau … Ges i bleser tu hwnt o fynd i'r Babell Lên bob dydd i wrando ar yr anfarwol John Ogwen yn adrodd straeon bendigedig Harri Parri, a chael am y tro cyntaf ers talwm iawn, chwerthin llond bol nes oedd y dagrau'n powlio … 'Na i byth anghofio'r bore hwnnw, a'r teimlad anhygoel yna fod pethau 'di dechrau newid am y gore i mi o'r diwedd, ac am hynny bydd straeon Harri Parri wastad yn agos at fy nghalon i. Yna dyma'r 23ain o Orffennaf 2005 yn cyrraedd a'n Nhad a finnau'n eistedd ochr yn ochr yng nghefn y Merc arian, ar ein ffordd i Eglwys Sant Aelhaearn ar gyfer fy mhriodas ag Aran, ac Aled y dreifar yn gofyn o'r ffrynt, 'Duwcs, yda chi ffansi gwrando 'chydig ar y radio?' A myn coblyn dyma lais John Ogwen yn adrodd antics trigolion 'Porth yr Aur' unwaith eto yn llenwi'r car, a chodi mymryn o chwerthin ysgafn i leddfu'r pili pala yn y bol – bendigedig! Ac yn ôl i'r presennol a Nadolig 2010. Sefyll wrth y tân o'n i pan ddaeth Aran ata i a chlamp o sws fawr, ac yn ei law pecyn bach piws wedi ei lapio yn flêr a deud y lleia. Wel, doedd dim amdani ond ei rwygo'n 'gored reit sydyn a llich i'r tân â'r papur piws, a beth oedd ynddo? Casgliad CD o straeon 'rhen Harri Parri, a dyma'r mymryn lleia o ddeigryn distaw bach i'r llygad a gwên i'r wyneb. Dyna beth oedd anrheg feddylgar ac arbennig iawn wnaeth yn sicr gyffwrdd yn y lle iawn – 'ffwl marcs' iddo fo 'raur.

— 'Harri Parri a Fi', 'Catrin' ar wefan, yn ddienw ar y pryd, 27 Rhagfyr 2010

Fel estyniad o'm gweinidogaeth yr ystyriwn y baich ar y pryd.

Golygu'r *Joli-lad*

Petai'r Hollalluog wedi meddwl yn debyg, mae'n bosibl mai i fyd newyddiaduriaeth y byddwn wedi ceisio mynd wedi gadael ysgol. Bu'r awydd yn ffrwtian yn y meddwl am rai blynyddoedd. I ladd y syched hwnnw, wedi bod yn golygu *Byw* ac yna *Antur* – cylchgrawn cyd-enwadol i blant – yng Ngorffennaf 1973 daeth cyfle i olygu'r *Goleuad*, newyddiadur Eglwys Bresbyteraidd Cymru: y *Joli-lad* fel y cyfeirid ato ar awr ddiddan.

Misolion oedd *Byw* ac *Antur* ond roedd *Y Goleuad* yn bapur newydd wyth tudalen a ymddangosai'n wythnosol a'i werthiant bryd hynny yn rhai miloedd. Ei brif amcan, o'i sefydlu yn 1870 ymlaen, oedd hyrwyddo amcanion yr enwad, diogelu'r traddodiad, croniclo digwyddiadau a rhoi cyfle i drafodaeth a mynegi barn – a hynny yn yr iaith Gymraeg.

Er na nodwyd hynny, roedd yna ddisgwyl yn ddiamau i minnau warchod y traddodiad. Roedd fy rhagflaenydd i yn Fethodyn teyrngar a'r enwad a'i waddol yn annwyl iawn ganddo. Fy nheimlad i oedd y dylid crwydro dros y ffiniau o dro i dro a chynnig beirniadaeth hyd yn oed ar y gyfundrefn pan oedd galw am hynny. Er enghraifft, pan ddaeth yna hysbyseb i law fod yna gwrs o hyfforddiant yng Ngholeg y Bala ar gyfer gwragedd gweinidogion bu'n rhaid holi, yn grafog, a oedd yna gyflog yn mynd hefo'r job? Bu ymateb ffyrnig.

Fel estyniad o'm gweinidogaeth yr ystyriwn y baich ar y pryd. Golygai sicrhau deunydd ar gyfer pob rhifyn ac ysgrifennu golygyddol o oddeutu 700 gair yn wythnosol – er mai fy newis i oedd hynny. Yna, ymweld â'r argraffdy yng Nghaernarfon unwaith yr wythnos i ddarllen y broflen derfynol, rhoi'r rhifyn yn ei wely a chyflwyno deunydd i'w argraffu ar gyfer y rhifyn dilynol. Ar dro, golygai ymweld â digwyddiadau megis Sasiwn a Chymanfa a llunio adroddiadau. Ar wahân i'r newyddion diweddaraf am hon a hwn a hyn ac arall roedd y llythyrau 'At y Golygydd' bob amser yn boblogaidd.

Y GOLEUAD.

NEWYDDIADUR WYTHNOSOL

At Wasanaeth Crefydd, Llenyddiaeth, Gwleidyddiaeth, a Moesau.

CYF I.—RHIF. 1. DYDD SADWRN, HYDREF 30, 1869. PRIS 2c.

Y CYNWYSIAD.

Nodiadau Wythnosol	1
Newyddion Tramor	2
Cranogwen yn America	3
Llenyddiaeth	4
Marwolaeth Arglwydd Derby	4
Cymdeithasfa Llanelli	5
Newyddion Eglwysig	6
Barddoniaeth	6
Cwrs y Byd	7
At ein Darllenwyr	8
Eglwys Loegr yn Nghymru	9
Philistiaeth	9
Marchnadoedd	12
Llythyrau Deheudir a Lerpwl	12

Nodiadau Wythnosol.

Prif ddigwyddiad yr wythnos hon, yn ei gysyllt-iad â'n darllenwyr a ninau, ydyw ymddangosiad rhifyn cyntaf o'r GOLEUAD! Mewn cwr arall o'n papyr traethir yn fanylach ar yr egwyddor-ion yn ol pa rai y bwriedir iddo wasanaethu y genedl; ac yn y "Nodiadau" hyn, ein hamcan fydd rhoddi golwg gryno i'r darllenydd ar brif helyntion yr wythnos, a'i gynorthwyo, drwy hyny, i ffurfio barn gywir am danynt. Nid ystumio ffeithiau—mae y rhai hyny yn anhyblyg—ond gadael iddynt lefaru drostynt eu hunain, ac yn y modd mwyaf diduedd amlygu yr hyn a ystyriwn ni y gwirionedd ellir ei ddysgu oddiwrthynt. Ar yr un pryd, nis gallwn lai na datgan ein hyder fod GOLEUAD wedi ymddangos heddyw yn ffurfafen lenyddol Cymru na ddiffydd hyd nes y gwasgaro oleuni gwybodaeth i bob congl o'r Dywysogaeth; ac, hyd ar fyddo yn ein gallu, ni ddigwydd dim a duedda yn y graddau lleiaf i gymylu disgleirdeb ei lewyrchiadau.

Ymysg bonedd ein tir, nid ydym yn gwybod am neb ag y mae Cymru a Chymraeg wedi ...

Un o anturiaethau pwysicaf y bedwaredd-gan-rif-ar-bymtheg ydyw y camlas anferth sydd wedi ei gwblhau i gysylltu Mor y Canoldir â'r Mor Coch. Ymddengys fod dydd ei agoriad i gael ei ddathlu (chwedl y Cymro-Americanaidd am *to celebrate*) gyda rhwsg a rhialtwch digyffelyb. Disgwylir ymron holl benau coronog Ewrop, ynghyda lliaws mawr o benau urddasol ereill, i fod yn bresenol ar yr achlysur. Cynrychiolir Ffrainc gan yr Ymerodres Eugenie, a dywed y *Court Journal* y bydd, ar yr un pryd, yn cynrych-ioli holl brydferthwch benywaidd gorllewin-barth Ewrop. Cynrychiolir Awstria gan yr Ymer-awdwr Francis Joseph; Prwsia gan y Tywysog Coronog; Twrci gan y Sultan; yr Aipht gan y Pasha, a Brydain gan Dywysog Cymru. Nid yw Rwsia wedi amlygu pwy fydd ei chynrychiolydd; gall nad yw yr ymerawdwr yn teimlo yn gysurus iawn wrth weled Napoleon yn cymeryd y fath ddyddordeb yn yr anturiaeth; fel Arglwydd PALMERSTON gynt. Edrychai ef yn eiddigeddus iawn ar y gwaith, a dywedai nad oedd ond ym-gais arall o eiddo'r Ffrancod i gyrhaedd mwy o ddylanwad yn yr Aipht. Ond rhagfarn digy-mysg ydoedd hyny; ac er fod llawer yn amheu a drydd yr anturiaeth allan yn enill i'r cyfranddal-wyr, nid oes neb yn credu fod unrhyw ystyr bo-liticaidd i'r anturiaeth, a'r gwirionedd yw, ni dderbyn neb fwy o les oddiwrtho na masnachwyr Lloegr, y rhai y mae ganddynt y fath feddianau eang yn India ac Awstralia. Mae y rhan fwyaf o fasnach Mor y Canoldir eisoes yn nwylaw Pry-deiniaid, ac wedi yr agorir y camlas hwn bydd mwy a gwell cysylltiad nag a fu erioed o'r blaen rhwng y fam wlad a'r trefedigaethau. Mae pob symudiad yn dwyn y naill genedl yn nes at y llall, ac yn rhwym o ddylanwadu yn rymus er hyrwyddo masnach a gwareiddiad dros yr holl fyd.

Mae ein cydwladwr MR. HENRY RICHARD, A.S., wedi bod ar ymweliad â Prwsia. Ei neges benaf ... ydoedd ceisio dylanwadu ar aelodau rhydd- ... at ddwyn ...

Oddiwrth ystadegau a gyhoeddwyd yn ddi-weddar gan Arolygydd Carcharau y deyrnas yr ydym yn gweled fod carchardy Sir Gaernarfon yn gofyn llai o arian y trethdalwyr i'w gynal, ac yn dwyn mwy o elw i'r sir nag un carchar arall, ar gyfartaledd (oddigerth un) yn holl siroedd Cymru. Traul flynyddol cadwraeth un carcharor, a chymeryd carchardai Cymru gyda'u gilydd, ydyw 33p. 18s., ond yn Nghaernarfon nid ydyw ond 25p. 6s. 1c. A ganlyn ydyw y swm y pen a roddir yn erbyn pob sir ar gyfrif y carchar-orion:— Caernarfon, 25p. 6s. 1c.; Mon, 69p. 6s. 8c.; Dinbych, 25p. 19s. 2c.; Fflint, 30p. 0s. 7c.; Meirionydd, 37p. 3s. 6c.; Trefal-dwyn, 30p. 8s. 4c.; Aberteifi, 28p. 17s. 7c.; Maesyfed, 40p. 0s. 10c.; Brycheiniog, 29p. 10s. 9c.; Penfro, 31p. 14s. 8c.; Morganwg, (Caer-dydd) 25p. 18s. 5c.; Abertawe, 25p. 2s. Pa un ai y fywoliaeth frasach y mae carcharor yn gael ynte drudaniaeth ymborth yn sir Fon, sydd yn peri y fath wahaniaeth rhwng traul cynhaliaeth carcharorion yn y ddwy sir gymydogaethol a'u gilydd? Dylai trethdalwyr Sir Fon yn anad neb fynu deall hyn.

Yr oedd Arglwydd PALMERSTON wedi ei fendithio â chyfleusdra i greu mwy o esgobion nag odid unrhyw Brif Weinidog arall yn nghof neb sydd yn fyw. Ond y mae Mr. Gladstone wedi myned tuhwnt iddo yntau, ac yn lluchio esgobaethau gwerth o bump i wyth mil o bunau y flwyddyn, fel pe byddent deganau plant! Mae hyn yn chwerwder ysbryd i hen frodyr urddasol oedd yn disgwyl er's blynyddau gyrhaedd pinacl uchaf uchelgais clerigol. Maent yn sibrwd yn alarus eu meddyliau, "Pa beth, gan hyny, a dâl i mi fod yn ddoeth mwyach? Efe a fydd feistr ar fy holl lafur, ac yn yr hwn y bum ddoeth dan haul." Wedi llafurio yn galed yn erbyn tori i lawr bren diffrwyth yr Eglwys Wyddelig, a phardduo cy-meriad disglaer Mr. Gladstone gymaint ag a allent dyma gan yr un hen feistr caled ag a ddywedodd ... "Tor ef i lawr" awdurdod i osod ...

Rhifyn cyntaf *Y Goleuad*, dydd Sadwrn, Hydref 30 1869. Y golygyddion oedd John Davies a Ieuan Gwyllt.

Bwrdd y Genhadaeth wedi prynu hofrennydd ar gyfer eglwysi Henaduriaeth Arfon!

Mewn papur newydd rhaid i'r gair ysgrifenedig alw am sylw, neu gael dim sylw o gwbl: awgrym a phryfôc weithiau, creu chwilfrydedd a deffro teimladau, ennyn ymateb a mynd ar ôl y newydd a'r gwahanol. Yn y 'Piniwn' cyntaf un yn 1973 ('Piniwn' fu pennawd pob golygyddol o hynny ymlaen, mwy na 500 ohonyn nhw i gyd) awgrymais mai fy ngobaith oedd mai fi fyddai'r Golygydd olaf. Profocio oedd y bwriad ac awgrymu y dylid ystyried mwy o gydweithio enwadol a chrynhoi adnoddau ar gyfer y dyfodol. Fel y gobeithiwn, aeth rhai'n syth am yr inc. Fu prinder deunydd erioed yn broblem. I'r gwrthwyneb wir, roedd yr oedi anorfod cyn medru cyhoeddi a thalfyrru deunydd i arbed gofod yn ffyrnigo cyfranwyr yn fwy na dim arall. Mi fûm i'n euog ar dro – bryd hynny ac yn ddiweddarach – o gynnwys ambell newydd ffug, a hynny er direidi ac i ennyn ymateb. Fel y newydd hwnnw fod Bwrdd y Genhadaeth wedi prynu hofrennydd ar gyfer eglwysi Henaduriaeth Arfon; un gweinidog yn cael hyfforddiant i fod yn beilot ac un arall am neilltuo ambell bnawn Sul rhydd i newid yr oel ac iro'r cogau. Er mor amlwg y rwdl, daeth sawl llythyr i law yn cwyno, nid am yr amcan, ond yn dadlau'n daer y dylai pob henaduriaeth arall gael adnoddau tebyg.

Wedi ymddeol fel Golygydd, es ati i greu

cymeriad ffug: Samuel Picton Davies, a oedd yn flaenor a phregethwr cynorthwyol ac yn ffarmwr wrth ei alwedigaeth. Roedd o a'i wraig, Sera, a'r teulu'n byw yn Nyffryn Clwyd. Byddai'n anfon gair i'r *Goleuad* yn achlysurol. Yr isod oedd y llythyr olaf a ymddangosodd a hynny wedi ei farwolaeth:

> Annwyl Olygydd,
> Roedd fy niweddar ŵr, Samuel Picton Davies, yn bregethwr cynorthwyol mawr ei barch ar hyd a lled yr henaduriaethau – hyd nes iddo farw, wrth gwrs. Yn ddiweddar, bu fy merch hynaf, Selina, a minnau yn clirio'r llanast a adawodd ar ei ôl a chawsom hyd i dros dri chant o bregethau o'i eiddo, gyda nodiadau eithriadol o werthfawr ar ymyl y dalennau yn dynodi pryd y dylid sibrwd, gweiddi, rhoi bloedd ac yn y blaen.
>
> Bellach, mae'r ferch a minnau wedi rhwymo pregethau Picton yn sypiau hylaw o ddeg pregeth ar hugain yr un ac y maent i'w cael am y swm cymedrol o bum punt y pac.
>
> Dylid anfon ceisiadau am bacedi o'r pregethau at Olygydd *Y Goleuad* gan amgáu amlen stampiedig a honno wedi'i rhag-gyfeirio.
>
> Yn gywir,
> Sera Picton Davies

A hwyliodd y Golygydd yn rhy agos at y creigiau?

Do, coelier neu beidio, daeth sawl cais am sypiau o'r pregethau a rhai, er mawr ofid i'r Golygydd ar y pryd, wedi anfon arian gyda'r archeb – arian y bu'n rhaid iddo eu dychwelyd.

Bûm yn ddigon ffodus i gael golygu'r *Goleuad* pan newidiwyd o'r hen ddull o argraffu i ddull mwy cyfoes. Bellach roedd amrywio'r orgraff a chynnwys lluniau, hyd yn oed gwella'u hansawdd, yn gwbl bosibl. Gyda'r hen ddull, colofnau hirion o brint du, oer, gydag ambell bennawd oedd yr arfer a chynnwys llun o unrhyw fath yn waith araf a chostus. Yn 1978 argraffwyd *Y Goleuad* gyda lliw ar y dudalen flaen am y waith gyntaf.

Yn nes ymlaen cynigiodd Hywel Harris, arlunydd a chartwnydd amlwg yn ei ddydd, lunio cartwnau ar gyfer *Y Goleuad* a gwneud hynny heb unrhyw dâl. Roedd o'n Gristion o argyhoeddiad ac yn flaenor gyda'r enwad yn Aberystwyth, ei hiwmor bob amser yn chwaethus a'r dychan yn un caredig. 'Gwenwch' oedd y pennawd bob tro ond bu gwenu'n anodd i ambell un. Gyda'r cartŵn olaf a anfonodd ataf, ar ddiwedd fy nhymor, roedd yna nodyn, 'Fel mater o ddiddordeb, rhif 270 yw'r amgaeëdig.'

Un bore yn 1979 daeth llythyr i'r Swyddfa oddi wrth un o weinidogion amlycaf yr enwad – un a wnaeth fwy na neb arall i gofnodi hanes

Methodistiaeth a gwarchod y traddodiadau – wedi ei gyfeirio at Oruchwyliwr y Wasg. Penderfynodd y Goruchwyliwr, gan mai fi oedd pwnc trafod y llythyr, y dylwn i o leiaf gael cip ar ei gynnwys. Roedd hi'n amlwg nad oedd *Y Goleuad* ar ei newydd wedd at ddant y llythyrwr, mwy na'r cynnwys o ran hynny.

Un sylw oedd y dylai pob rhifyn o'r *Goleuad* fod 'yn llawn fel wy': dim lle i luniau a chartwnau, amrywio seis y print a ffolinebau o'r fath. Ei fygythiad oedd, os na fedrai'r pwyllgor rheoli lleol fy niswyddo y byddai'n ceisio perswadio prif lys yr enwad, y Gymanfa Gyffredinol, i drafod y mater a phleidleisio arno.

Mae'n bosibl i mi, wrth newid gwedd y papur ac arallgyfeirio peth ar y cynnwys, hwylio'n

Newydd dorri'r record mae o am y bregeth fyrra erioed yn Salem.

4 Y GOLEUAD DYDD MERCHER, TACHWEDD 21, 1973

Y Goleuad

Anfoner pob gohebiaeth ac ysgrifau i'r Golygydd, Swyddfa'r Goleuad, Caernarfon. Archebion a thaliadau i'r Goruchwyliwr, Y Llyfrfa, Caernarfon.

DYDD MERCHER, TACHWEDD 21, 1973

PINIWN

Mae 'na lawer rhyfeddod wedi digwydd erioed ym Mhafiliwn Corwen, ond o blith yr holl ryfeddodau hwn yw y mwyaf un, reit siwr gen i. O'm mlaen i fan'ma mae croes fawr ac mae'r fintai yn sefyll wrth droed y groes dan ganu.

—Robin Williams ar y Radio.

RHOI ENNAINT YN Y BLWCH

'R oedd o'n ryfeddod, yn ryfeddod mawr; *'roedd* yno glamp o groes o bren; *'roedd* yno fyddin nobl—gryn ddau gant a hanner yn siwr—ac *'roedd* yno ganu ben-digedig mewn gwirionedd. "*Fûm i 'rioed o'r blaen mewn oedfa debyg i hon,*" meddai merch o Feirion, a'r dagrau yn powlio i lawr—yn union fel yr wylodd Mair Magdalen gynt i'm tyb i. "*Diolch i ti,*" meddai llanc llydan o Fôn, yn union fel'na, "*i ble byddwn ni'n mynd nesa' dwad*"? "*Ydi hanner can' ceiniog yn ormod i chi i dalu*"? meddwn i wrth un o deithwyr y bws. "*Ddim, yn siwr i chi,*" atebodd, "*mae hi wedi bod yn werth llawer iawn mwy. Newch chi weddïo dros hwn a hwn, plis*"? Dyna beth adwaith i *Ddig-wyddiad* '73, ym Mhafiliwn Corwen, bnawn Sadwrn, Tachwedd 10. Fe ddaeth rhai estroniaid i mewn i'r gwersyll wrth gwrs, fel y wraig ganol oed honno yn brygawthan am branciau yr ifanc, a hithau wedi methu yn raes gyda ei phlant ei hun! Mae'r Saint yn ddoniol o anghyson.

YR HEN FFASHIWN IFANC

Fe ddaeth gwanwyn ysbrydol i Gymru, mae hynny yn siwr i chi, a hynny fel erioed gyda'r llancesi a'r llanciau ifanc a gafodd droedigaeth hen ffasiwn, fythol ifanc a phrofiad trwm o Ras Duw yn yr Arglwydd Iesu Grist. *Yr hyder anorchfygol gynt* eto ar gerdded. Taered a fynno, y mae'r Ysbryd Glân, eto yn magu adenydd, a hynny ym Môn ac Arfon o bobman, ac nid oes neb hyd yn hyn wedi llwy-ddo i glipio adenydd hwnnw.

Ar gais yr ieuenctid eu hunain y trefn-wyd *Digwyddiad* '73, a diolch *o galon* i'r oedolion (?) hynny fu'n gwneud y trym-waith; a'r ifanc, a'r ifanc yn unig, oedd yn amlwg yn cenllif. Dyma un o'r oedfaon rhyfedda y bûm innau ynddi hi erioed. Bum mlynedd yn ôl 'roedd *Diwygiad* yn ffenomen bell o ddieithr i mi, ond bellach nid wyf mor sicr. Peth rhyfeddol yw gweld dau gant a rhagor o Gymry ifanc yn gwrando yn newynog ar weinidog prof-iadol yn egluro yr Ysgrythyrau am awr a rhagor o amser. Peth newydd i un a faged ar frechdan gaws o gyfarfod gweddi, gweddi barod a darllen ar yn ail, yw gwrando ar gadwyn brydferth o weddïau instant yn syth o'r frest. Peth od yn siwr yw bwseidiau o bobl ifanc yn cenhadu dros Grist ar b'nawn Sadwrn gêm rygbi ryngwladol. Nos Sadwrn serch hynny, a'r dyrfa wedi chwyddo bellach i drichant a rhagor, y daeth y Brenin adref. Pan fydd ugeiniau o flodau peraidd ieuanc o bob rhan o Ogledd Cymru yn tystio yn gy-hoeddus dawel i brofiad cyffelyb o Ras achubol Duw yn Iesu Grist, yna mae hi'n bryd i ni sy'n arwain ac mor siwr ohonom ein hunain, lyncu ein poer a throi i edrych. "*Mae hyn wedi codi 'nghalon i i'r entrych-ion,*" meddai gweinidog cydwybodol o Fôn ar ddiwedd y dydd. Nid yn fuan yr ang-hofiwn y wylo cyhoeddus, tawel, yma ac acw, â'r awydd gwyn a fynegwyd, dro ar ôl tro, i wasanaeth Crist a'r oes. Gwyn eu byd!

TÂN AR Y BERTH

Reit, mi wn i yn dda mai cychwyn yn unig yw hyn i gyd, mi wn am y peryglon, mi wn yn dda ddigon am wrthwynebiad rhai gweinidogion a blaenoriaid, ac mi wn i hefyd am y meysydd gwynion sydd eto heb glywed siffrwd y cryman. Y canol oed oer sy'n cicio ffyrnicaf, mae'r hen hen yn deall y digwydd yn well ac yn deall yr eirfa o ran hynny. Am ba hyd eto, y byddwn i yn hollti blew ac yn mân gyfundrefnu cyn sylweddoli mai gwag, cwbl wag, yw'r blwch heb yr *Ennaint*. Bydd yn rhaid i urddasolion y Cyfundeb, ac urddasolion pob enwad arall, droi ac edrych ar y berth newydd hon neu farw ym Mara.

Digwyddiad '73 meddai'r hysbyseb. Tybed mai diawl y wasg oedd wedi cawlio'r llythrennau deudwch? Hwy-rach mai *Diwygiad* '74 a ddylai'r pennawd fod!

ANN DRUAN !

Diwrnod Ann a Marc oedd hi wythnos i heddiw, a diwrnod i'r brenin i minnau. 'R oedd y rhwysg militaraidd, y mis mêl drud i'w ryfeddu a'r eilunaddoliaeth pen-boeth ymhlith pobl dlawd ymhell iawn o galon Efengyl Iesu o Nasareth. Am Ann arall y meddyliais i. Pan awn yn blentyn i hen Eglwys Sant Cian, wfftiwn at y person yn gweddïo yn benodol ar i Dduw "edrych yn ddarbodus" ar y brenin a'i arwain ef a'i deulu i'w "dragwyddol deyr-nas." Heddiw nid wyf lawn mor wfftus— Maent angen ein gweddïau. Oes wir.

"If monarchy consists of such base things, sighing, I say again, I pity Kings"—
William Cowper.

Golygydd.

Toriad o'r *Goleuad*, Tachwedd 1973.

rhy agos at y creigiau. Wedi bod wrthi gyhyd o amser, ac arwyddion fod yna storm ar y gorwel, penderfynais mai doethach fyddai imi hwylio at yn ôl, am ddiogelwch yr harbwr, a gollwng angor. Wedi blynyddoedd o rwyfo, dyna a ddigwyddodd.

Do bu golygu'r *Goleuad* yn hyfrydwch pur i mi. Amhosibl diolch digon i bawb a fu'n cyfrannu'n wirfoddol at ei gynnwys, miliynau ar filiynau o eiriau, rhai gyda cholofn wythnosol dros gyfnod maith. Yr un oedd maint fy niolch i staff yr argraffdy am eu cefnogaeth a'u caredigrwydd, heb sôn am y llu darllenwyr a'u rhif wedi aros yn weddol wastad gydol y cyfnod.

Wana Christos

Pan oedd y Chwedegau penfeddw yn dechrau sobri, a'r Saithdegau mwy cymedrol ar wawrio, roedd yna gryn fynd mewn rhai gofalaethau ar waith gyda phlant a phobl ifanc. Doedd Porthmadog ddim yn eithriad. Minnau, yn ffyddiog ac yn ffôl, yn teimlo fod yna gyfnod heulog a gwahanol iawn ar wawrio. Ond i rai ohonom, o leiaf, bu'n ha bach Mihangel i'w gofio. Fel yr Athro D. Densil Morgan, oedd yn fyfyriwr ar y pryd . . .

Cyrhaeddodd Alwyn Daniels a finnau Goleg Bangor yn 1972 a daethom yn rhan o fwrlwm fawr ysbrydol a oedd yn taro'r ieuenctid yno ar y pryd. Cefais fy hun yn rhannu ystafell ag Arfon Wyn, y canwr pop Cristionogol, a thynnodd ef fi i ralïau mawr a oedd yn cael eu cynnal pob penwythnos mewn mannau ar draws y gogledd: Pen Llŷn, Dyffryn Clwyd, Corwen, Ynys Môn ac yn y blaen. Roedd gweinidogion fel Harri Parri a'r diweddar, ysywaeth, Gwilym Ceiriog Evans a Gareth Maelor yn cynnig arweiniad yng nghanol y frwdaniaeth, ac rhwng popeth roedd hi'n gyfnod cynhyrfus iawn. Ni welais gymaint o fynd ar grefydda ymhlith pobl ifainc erioed, a chododd bechgyn sydd yn y weinidogaeth, ac yn ffyddlon iddi hyd heddiw.

— D. Densil Morgan, *Dyddiadur America a phethau eraill*

Iorwerth Jones Owen: dawnus, direidus a dwys ar dro.

Carys Humphreys yn wên i gyd.

Gyferbyn: Carys gyda dau o Ysgrifenyddion Eglwys Bresbyteraidd Taiwan y bu'n cydweithio hefo nhw. O'r chwith i'r dde: Mrs Ruth Kao, y diweddar Barchedig C. M. Kao, Parch C. S.Yang a Mrs Judith Yang.

Penderfynwyd uno gwaith ieuenctid eglwysi o'r un enwad oedd ym Mhorthmadog a'r fro. Y gweinidog arall oedd y dawnus a'r direidus – a'r dwys, hefyd – Iorwerth Jones Owen a ddaeth yno yn fuan wedi i mi gyrraedd. Yr arfer, bryd hynny, oedd cymell pobl ifanc y capeli oedd rhwng 14 ac 16 oed, dyweder, i fynychu dosbarthiadau i'w paratoi i fod yn aelodau llawn o'u heglwys leol. Yna, eu derbyn a'u croesawu wrth iddyn nhw dderbyn y bara a'r gwin am y waith gyntaf. Penderfynwyd glynu at yr arfer ond gwneud hynny gyda dulliau a fyddai'n fwy cyfoes, yn cynnig profiadau ehangach ond a fyddai, ar y terfyn, yn gofyn am ymateb gonest.

Un o'r criw mawr a ddaeth i'r sesiynau arbrofol

hynny oedd Carys, Carys Humphreys. Gan iddi, er 1986, fod yn rhan o waith cenhadol Eglwys Bresbyteraidd, a'i thystiolaeth a'i gwaith yn llawer lletach na hynny, penderfynais gysylltu â hi. A dyma ofyn iddi rannu hefo mi hanes dechrau cerdded ei thaith ysbrydol. Rhoi'r llifeiriant cyfoethog mewn ychydig ddiferion fu'r cam nesaf.

Meddai Carys . . .

Hwyrach y dylwn i gychwyn hefo mymryn bach o gefndir. Oherwydd cefndir rhieni fy nhad – oedd yn wreiddiol o Sir Drefaldwyn – capel Saesneg y Presbyteriaid yn y Port oedd aelwyd

ysbrydol ei deulu, a'r cam naturiol i ni blant (pump ohonom) oedd mynychu Ysgol Sul yn y fan honno. Erbyn hyn, rydw i'n teimlo'n hynod o ddyledus ac yn ddiolchgar iawn i fy rhieni am y cyfle a'r sylfaen ysbrydol a gefais i yn y fan honno. Pam felly? Yn gyntaf bendithiwyd ni ag athrawes/arolygwr Ysgol Sul dawnus a chreadigol – Mavis Jones. Ail beth sy'n aros yn y meddwl ydi fod fisitors yn bla yn y Port o tua'r Pasg hyd at ddechrau Hydref a gweld eu croesawu i'r oedfa. Cofio holi fel plentyn pam bod yr holl bobl yma sydd ar wyliau yn dal eisiau mynd i'r capel. Sylwi, mai'n anaml y byddan nhw'n gwisgo 'dillad parchus' ond yn troi i mewn yn eu siorts neu ddillad dringo mynydd; yn ddigon blêr ond yn hapus o fod yno. Yn ogystal, roedd aelodau'r capel Saesneg yn andros o groesawgar tuag at y bobl ddiarth yma.

Elfen arall bwysig o'r profiad oedd gweld, yn ifanc iawn, bod eglwys Iesu Grist yn fwy na'n milltir sgwâr ni yn Port, ein bod ni'n deulu byd-eang. Fe wnaeth y gwahoddiad i'r dosbarth derbyn argraff arna i. Oherwydd, bu i fy mrawd ddeud yn hollol gadarn wrth Iorwerth Jones Owen nad oedd ganddo fo ddim diddordeb yn y capel nac mewn Duw. Wow, dipyn o guts! Os gwnaeth fy mrawd fy syfrdanu i, roedd ymateb y gweinidog yn fwy syfrdanol fyth! Fe ddiolchodd iddo am adael iddo wybod lle'r oedd o'n sefyll. Gan ychwanegu fod ganddo barch mawr tuag ato am iddo fod mor onest, yn hytrach na mynd trwy'r broses o gael ei dderbyn ac yna byth yn ei weld yn y capel wedyn. Dyna agoriad llygaid.

Mor wahanol i'r darlun cyffredinol oedd gen i o weinidogion – six foot above contradiction. Serch hynny, roeddwn yn nerfus oherwydd bod Beibl a llyfr emynau yn llawer mwy cyfarwydd i mi yn yr iaith Saesneg a minnau, hefyd, yn berson mewnol, dihyder ac yn swil iawn o fynegi barn. O leiaf, gallwn wrando! Penderfyniad a brofodd yn un mor allweddol i daith fy mywyd i. Wrth fynychu'r dosbarth derbyn ar y cyd efo ieuenctid y ddwy ofalaeth, golygai ein bod ni'n griw reit niferus a bod gynnon ni weinidog yn ein tywys yn wythnosol am tua thri mis. Cawsom gyfle i wrando a siarad, cytuno ac anghytuno am y Beibl, Duw, Iesu Grist, Ysbryd Glân a'r ffydd Gristnogol. Ac ar ben y daith, ein harwain ni i allu gwneud penderfyniad a oeddan ni am arddel Crist a dod yn aelod o'r capel neu beidio. Rydw i'n cofio'r pwyslais a roddwyd ar ddewis – dewis dilyn Iesu Grist yn llwyr a'r dewis i ddod yn aelod o'r eglwys neu beidio. Rhoi rhyddid i bendroni a myfyrio'n ddyfnach am beth mewn gwirionedd oedd y ffydd Gristnogol, a phwy oedd Iesu tu draw i fod yn ddyn da a perffaith, a thu draw i'n gafael.

Er bod ni yn ifanc, cawsom ein trin efo parch ac urddas. Roedden ni'n a'n barn yn cyfrif, a hyn eto yn werthfawr. A pheth arall ddaeth i'r wyneb, yn raddol – ac yn fyw iawn i mi, oedd y darlun o fwynhau Duw a'n ffydd! Wrth i'r wythnosau yn y dosbarth fynd heibio cawsom gyfle i fynd i Ganolfan Ieuenctid yn y Bala am y tro cyntaf. Mwynhau addoli drwy wahanol ddulliau a dŵad i werthfawrogi pwysigrwydd darllen y Beibl a gweddïo'n bersonol yn gyson. Pan ddaeth yr amser i ni gael ein derbyn, penderfynwyd ein bod ni'n cael ein derbyn yn y bore yn ein gwahanol gapeli. Yna, yn y nos pawb yn dod at ei gilydd i'r Tabernacl. Yn ystod yr oedfa Gymun dywedodd Harri Parri rywbeth wnaeth fy nharo i: 'Edrychwch ar y criw yn y sêt fawr 'ma, wnewch chi ddim eu gweld nhw hefo'i gilydd eto, ac o bosib na welwch rai ohonyn nhw mewn oedfa ar ôl heno.' Rhywbeth arall dw i'n gofio fo'n ddeud oedd bod angen i ni gymryd ein Ffydd o ddifri ond dim angen bod yn 'ddifrifol' drwy'r amser. Fel deudodd Paul, 'Llawenhewch yn yr Arglwydd.'

Gwers bwysig arall oedd bod yna le i bobl ifanc yn nheulu Duw! Hyd heddiw, dw i'n dal i flino ar bobl yn deud, 'Ieuenctid ydi Eglwys fory.' Nid felly fy nealltwriaeth na'm profiad i. Wedi'r cyfan, teulu Duw ydan ni i gyd. Ac mae pob aelod o'r teulu yn werthfawr i Iesu Grist, heb na gwahaniaeth oed, profiad, gallu, diwylliant na lliw croen. Ar ôl i'r dosbarth derbyn ddŵad i ben fe ofynnon ni am gael parhau oherwydd i ni gael y fath flas o fod efo'n gilydd yn Gristnogion ifanc. Sefydlu'r Wana Christos oedd y stori honno.

Mae gen i gof mai wrth fwrdd te yn un o gaffis y dref, ar drothwy Nadolig 1970, y ganwyd Wana Christos neu o leiaf yn y fan honno y cadarnhawyd yr enw bedydd. Erbyn 1 Rhagfyr 1971 roedd y stori wedi cyrraedd tudalen flaen *Y Cymro* gyda phump o luniau Geoff Charles i gael y stori i gerdded a hybu gwerthiant yr wythnosolyn:

> A oes cynnydd yn niddordeb pobl ifanc mewn Cristnogaeth ymarferol? Oes yn bendant yn ôl tystiolaeth Wana Christos, cymdeithas sy'n cyfarfod bob nos Fercher yng Nghapel y Tabernacl, Porthmadog.

Wana Kristo yw'r geiriau am 'Cristnogion ifanc' yn yr iaith Bohomo, un o ieithoedd Kenya. Roedd merch o'r wlad honno, Hettie Yoash, ar ymweliad â chanolfan ieuenctid y Methodistiaid Calfinaidd yn y Bala ddechrau'r flwyddyn pan gyfarfu ag aelodau o gylch ieuenctid Porthmadog, a oedd yno ar gwrs. Roedd Hettie â'i bryd ar fynd yn athrawes, ond yn methu cael grant i fynd i goleg addysg. Aeth nifer o gymdeithasau i gasglu arian i'w hanfon i'r coleg ... Gwahoddwyd hi i barti ym Mhorthmadog i dderbyn yr arian.

Yn y cyfamser roedd y Gymdeithas yn chwilio am amgenach enw arnynt eu hunain na 'chylch pobl ifanc', a gofynnwyd i Hettie beth oedd y geiriau am Gristnogion ifanc yn ei hiaith hi. Felly bedyddiwyd cymdeithas Wana Christos ...

'Wana Kristo' yw'r geiriau am 'Cristnogion ifanc' yn yr iaith Bohomo, un o ieithoedd Kenya.

> 'Mae 'na sôn y dyddiau hyn am bobl ifanc yn dod yn ôl at grefydd,' medd y Parch. Iorwerth Jones Owen. 'Rydan ni'n gweld hynny'n digwydd ymhlith llawer o'r rhain. Maen nhw'n cymryd diddordeb mawr yn yr Efengyl ac yn arbennig Cristnogaeth ymarferol.'

Os ydi'r cof yn dal yn ddigon ystwyth, 'Christos Wana' oedd ateb Hettie y pnawn hwnnw. Ninnau wedyn yn rhoi'r drol o flaen y ceffyl i Gymreigeiddio'r ymadrodd a'i gael i swnio'n esmwythach i'r glust. Wana Christos fu'r enw o hynny ymlaen, a bu'r bobl ifanc hynny'n driw iawn i'w penderfyniadau ar ddechrau'r daith.

1971 a Hettie Yoash yn ymweld â grŵp Y Gorchfygwyr yn Abersoch. Y gweinidog yn y llun ydi'r diweddar Gareth Maelor.

Mae'r Wana Christos, o ran rhif beth bynnag, yn tyfu o nerth i nerth. Yng nghanol y peli a'r dartiau, y grwnian a'r clebran, hyderaf fod peth o'r had yn disgyn ar dir da. Mi wn yn iawn fod yna fwlch diadlam rhwng y ddwy genhedlaeth – oni bu hi felly erioed? Ond y tyndra hwn yn y diwedd sydd yn gyrru pethau yn eu blaenau. Cawsant gyfle yn ystod y flwyddyn i wneud gwaith cymdeithasol, i fynd ar gyrsiau hyfforddi, a chyfle hefyd i astudio'r Gair. Os na chaiff yr eglwysi ym Mhorthmadog deyrngarwch y bobl ifanc hyn mae yma ddigon o gymdeithasau eraill sy'n crefu am eu sylw. Mae'n well gen i i'r Eglwys eu cael nhw na neb na dim arall. Gwell methu wrth frwydro na pheidio â brwydro o gwbl.

— *Adroddiad Blynyddol* y Tabernacl 1971, Anerchiad y Gweinidog

Mewn ystafell ddigon traddodiadol yn y Tabernacl, ystafell a fu'n llyfrgell i aelodau'r capel unwaith, y byddai'r grŵp yn cyfarfod ar ddechrau'r noson. Wedi math o gymdeithasu, byddai rhai yn mynd i'r Festri Fawr i sgwrsio neu chwarae gwahanol gemau. Fel yn y gymdeithas yn gyffredinol doedd gan bawb mo'r un brwdfrydedd, na'r un diddordeb. Wedi awr neu ragor, byddai rhai'n ymadael. Yna, wedi i'r gynulleidfa ddechrau teneuo byddai yna drafod a myfyrio; un neu ddau ambell noson yn gofyn am air o weddi cyn ymadael – gwir bob gair. Gollyngodd mwy nag un angor ar awr felly, a chafodd yr angor hwnnw byth ei godi wedyn.

I gadw'r fflam i losgi roedd hi'n dda cael gwybod am gorlannau tebyg a oedd yn ffynnu ac yn tyfu, yn bennaf yn Llŷn ac Eifionydd ond hefyd yn Arfon a Môn. Dyma a gofnodwyd un tymor:

> Un noson buom yn Abersoch yn cyfarfod ieuenctid y cylch hwnnw ac yn gwrando ar feddyg yn trafod rhai o beryglon moesol y dydd. Yn fuan wedyn, aeth llond bws o aelodau'r Wana Christos i rali ieuenctid a gynhaliwyd yng Nghapel Salem, Pwllheli. Buom hefyd ar gwrs yng Ngholeg y Bala a chafodd aelodau'r dosbarth gip ar waith yr eglwysi yn Affrica, India, America a de Cymru.

I rai, chwarae dartiau oedd yn mynd â hi. Iorwerth Jones Owen sy'n gwylio a goruchwylio.

Coleg y Bala . . . lle bu helynt y llyfrgell.

Bwrw'r Sul yn y Bala fyddai'r frechdan fêl. Wedi i'r coleg yno gau ei ddrysau fel canolfan hyfforddi ar gyfer y weinidogaeth – a symud y gweithgarwch hwnnw i goleg yr enwad yn Aberystwyth – bu'r adeilad urddasol, a godwyd ar lechwedd uwchben y dref yn 1867, yn wag am rai blynyddoedd. Yna, cafwyd y weledigaeth o droi'r adeilad yn ganolfan ar gyfer gwaith gyda phlant ac ieuenctid.

Yn y Chwedegau cynnar dw i'n cofio gyrru'r Hillman Imp hwnnw o Borthmadog i Carberry yn East Lothian – 300 milltir un ffordd. Mae'r ardal ddwy filltir o'r A6124 a heb fod ymhell iawn o Gaeredin. Roedd Eglwys yr Alban, enwad enfawr bryd hynny, wedi etifeddu adeilad hynafol a hanesyddol mewn pentref o'r enw Carberry Tower a newydd ei addasu ar gyfer gwaith gyda phlant a phobl ifanc.

Mynd yno i weld y gweithgarwch oedd y bwriad – yr Hen Gorff yn talu am y petrol, mae'n wir – a John Owen, a dreuliodd y rhan helaethaf o'i weinidogaeth ym Methesda, yn gwmni i mi. Ein dau'n dychwelyd wedi'n dal gan mor llwyddiannus oedd y fenter ac yn cadarnhau y byddai canolfan gyffelyb yng Ngholeg y Bala yn taro deuddeg. Fe'i sefydlwyd yn 1968. A defnyddio'r hen, hen idiom, hanes ydi'r gweddill. Byddai'r Wana Christos yn agor y drysau ambell dro ac yn mynd allan i dystio neu i genhadu. Eu dewis nhw oedd hynny hefyd. Mae gen i gof am ymgyrch y posteri: llunio poster neu bosteri deniadol yn rhoi cyhoeddusrwydd i'n gwaith ynghyd â neges Gristnogol. Hau'r rhai hynny wedyn o ddrws i ddrws ac yn siopau a thafarndai Porthmadog a Phwllheli. O dro i dro wedyn, agor y Festri Fawr, cael ychydig gerddoriaeth, gostwng y goleuadau a chael ieuenctid o'r tu allan i mewn. Roedd yna elfen o risg mewn peth felly. Taro ar gariad yn y mwrllwch a'r hanner tywyllwch oedd prif genhadaeth rhai o'r hogiau. A phryder meddwl oedd gweld ambell fewnfudwr yn gollwng stwmp sigarét a dechrau ei sodlu i lawr pren y festri.

Paul Nicholas fel Iesu yn *Jesus Christ Superstar*, 1972.

Yn nechrau'r Saithdegau roedd yna ddehongliadau o fywyd Iesu mewn dwy theatr yn y West End: *Jesus Christ Superstar* yn Theatr y Plas a *Godspell* yn y Wyndham. Cafodd rhai o'r bobl ifanc gyfle i deithio gydag eraill, mewn bws, i Lundain bell i weld *Godspell* – ac yn ôl yr un diwrnod. Y munudau dwysaf oedd gwylio'r Iesu trwyngoch, a fu mor ddoniol a hapus drwy gydol y ddwyawr o berfformio, yn cael ei hongian ar y rhwydwaith gwifrau a oedd o amgylch y llwyfan ac yna'n marw yn yr hanner gwyll.

Fodd bynnag, ffinale'r perfformiad i fod, am wn i, oedd yr atgyfodiad – ailgodi'r golau, y cwmni'n dychwelyd i'r llwyfan i dderbyn y clod haeddiannol ac yna canu'r un gân drosodd a throsodd. Ar wahân i'r wefr o wylio, mwynhau'r direidus a chlapio i rythmau'r gerddoriaeth dydw i ddim yn siŵr, chwaith, faint fu dylanwad y sioe honno ar y bobl ifanc.

Fel yr wyf yn ysgrifennu hyn o eiriau rydym yn paratoi at Ymgyrch 0474 ymhlith ieuenctid y dref. Bydd yr effeithiau wedi aros neu fynd cyn y bydd yr inc hwn wedi troi yn brint oer. Disgwyliwn nifer o ieuenctid yma, i astudio'r Gair ac yna ei rannu a hynny ar nos Wener, dydd a nos Sadwrn – o bob amser. Dyna faint y sêl newydd ymhlith yr ifanc yng ngogledd Cymru ... Os nad oes tân yn y Tabernacl mae yma wifrau byw a digon o

weithgarwch, ac mae yma fwy o wres nag oedd wyth mlynedd yn ôl. Dyblwyd y Seiat a dyblwyd y Wana Christos, daw tyrfa gref i oedfa'r bore ac nid yw oedfa'r hwyr mor ddilewyrch ag y bu. Am y tro cyntaf erioed yn ystod fy mugeiliaeth i cyfarfu'r blaenoriaid, fwy nag unwaith, i drafod y wedd ysbrydol gan anghofio busnes.
— *Adroddiad* y Tabernacl, Nadolig 1973

Torri pen Ioan Fedyddiwr

Yn y Chwedegau roedd y Tabernacl ym Mhorthmadog, ar lawer cyfrif, yn gwch gwenyn o brysurdeb gwyllt: yr Ysgol Sul yn rhifo 130 gyda 12 o athrawon; deg o ddigwyddiadau yn ystod yr wythnos yn ychwanegol at weithgareddau'r Sul. Y plant oedd yn cael mwyaf o sylw gyda phedwar dosbarth darllen i wahanol oedrannau, dosbarth cerdd a'r cyfarfod plant arferol bob wythnos. Pwrpas y dosbarthiadau darllen oedd paratoi at arholiadau Beiblaidd ar lefel henaduriaeth. Fûm i erioed yn arbennig o frwd dros weithgarwch o'r fath; teimlo ei fod yn creu gwahaniaeth dosbarth ar sail gallu academaidd. Nid nad oedd i'r gwaith ei fendithion.

Yn 1964 roedd Ronald Goldman, addysgwr ac ysgolhaig Beiblaidd, wedi cyhoeddi cyfrol a gafodd

Ysgol Haf yr Ysgol Sul ar risiau'r Coleg Diwinyddol yn Aberystwyth, fel y byddai pethau yn y chwech a'r saithdegau.

grŷn sylw ar y pryd, *Readiness for Religion: A basis for developmental religious education*. Ei ddadl o oedd na allai plant ddim ond dehongli'r Beibl yn llythrennol ac y gallai hynny arwain at gamddealltwriaeth o neges y Beibl gydol oes. Oedi nes bod plant yn nechrau eu harddegau oedd orau. Gallai'r plant wedyn ddehongli'r Gair yn symbolaidd. Hyd yn oed wedyn dylid oedi os nad osgoi'r hanesion mwyaf erchyll.

Athrawes dosbarth y plant ieuengaf ar y pryd oedd Elin [Ellen] Ann Owen, athrawes plant bach gydol oes ond ei bod hi erbyn hynny wedi hen, hen ymddeol. Yn union wedi ei marwolaeth ym Medi 1970 ysgrifennais a ganlyn amdani: 'Y cymeriad gwahanol. Rhoddodd oes o wasanaeth i gapel y Tabernacl ac aeth ei ffyddlondeb yn ddihareb bro. Y seiat, y bregeth, yr ysgol Sul a'r cyfarfodydd cenhadol – dyna ei phorfeydd gwelltog.'

Mae gen i gof taro i mewn i'r dosbarth un pnawn Sul, a syniadau Goldman yn ffres yn y meddwl a'r sgwrs yn agor, 'Wel, Mistyr Parri, y stori sy gynnon ni heddiw 'ma ydi hanas torri pen Ioan Fedyddiwr.' Roedd llygaid y plant tair a phedair oed yn pefrio – un o'n bechgyn ni yn eu plith nhw – yn eu hawydd mawr i gael gwybod mwy o'r hanes gwaedlyd.

Cyn gwrando rhagor penderfynais symud ymlaen a mynd â Goldman a'i *Readiness for Religion* allan efo mi.

Manse exchange

Mis Awst oedd tymor gwyliau swyddogol gweinidog unwaith. Yn yr hen ddyddiau byddai'r gweinidog a'i deulu yn dychwelyd i froydd mebyd, i aros gyda theulu neu gydnabod, gan ddychwelyd at ei ddiadell ddiwedd y mis. Os nad oedd cyfleusterau felly ar gael doedd dim amdani i'r gweinidog ond aros yn yr unfan, haneru'r llwyth a rhoi heibio'r du trwm arferol – siaced wen a het wellt fyddai hi wedyn am y mis.

Mewn rhifyn o'r *British Weekly* y disgynnodd fy llygaid i am y waith gyntaf ar yr ymadrodd 'manse exchange', sef cynnig i gyfnewid aelwydydd fel

Ail fyw Awst 1965; y capel yn union o'm blaen a'r mans o dan yr unto ag o.

ffordd o gael gwyliau. Ddechrau haf 1965 roedd yna un 'Rev. Auld' – gweinidog gyda'r Presbyteriaid yn Ballina, yn Swydd Mayo yn Iwerddon – a'i wraig oedd flynyddoedd yn hŷn nag o, Musus Auld (maddeuer y mwyseirio) awydd cyfnewid tŷ efo gweinidog yn Lloegr. Cysylltais ag o ac awgrymu y byddai Cymru'n well dewis ac yn nes iddo. Neidiodd yntau at y cynnig.

I gymhlethu pethau, braidd, roedd 'Auld' am i mi sicrhau cyfleoedd pregethu iddo yn ystod ei wyliau ac am i minnau arwain yr oedfaon bore Sul yn Ballina. Ond a fyddai Saesneg yn nhafodiaith unigryw Pen Llŷn yn ddealladwy i'r Gwyddelod yn Swydd Mayo? A *vice versa* o ran hynny. Bu'r cyfan yn brofiad a hanner i mi. Yn fwy felly, yn ddiamau, i'r addolwyr!

I mi, bu Werddon, erioed am wn i, yn fan gwyn fan draw. Fel yr ehed brân – gwylan, hwyrach, yn well dewis – llai na hanner can milltir oedd yna rhwng Penrhyn Mawr uwchben Aberdaron, lle treuliais i fy mlynyddoedd cyntaf, a Thrwyn Wicklow ar arfordir dwyreiniol Iwerddon. Mae'n fwy na thebyg, hefyd, mai o ben y Mynydd Mawr, uwchlaw Uwchmynydd, y cefais i'r cip cyntaf erioed ar Fynyddoedd Wicklow – er na chofiaf hynny. Sangu ar bridd Iwerddon am y waith gyntaf haf '56 a'i bodio hi y can milltir sy 'na o Dun Laoghaire i Roscommon, ac yn ôl gydag Emlyn Richards, ffrind coleg. Byddai ffawdheglu wedi bod yn gywirach disgrifiad. Bryd hynny, roedd ceir yn eithriadau yng nghefn gwlad Iwerddon a throl a mul i'w gweld yn llawer amlach. Cafwyd sawl reid mewn trol o'r fath er bod cerdded yn gynt. O ran ei bodio hi, y daith fwyaf peryglus i mi o ddigon oedd un ym mis Mai 1981, o Clonmel yn Swydd Tipperary am Abaty Mount Melleray yng ngodreuon Mynyddoedd Knockmealdowns, Bobby Sands newydd lwgu'i hun i farwolaeth yn y Maze a'r gwrthryfel ffyrnig yn ei anterth.

Yr Awst hwnnw doedd dim lle i ni ar longau Caergybi. Felly, bu'n rhaid gyrru i lawr i Abergwaun a chroesi dros nos i Rosslare a hithau'n enbyd o storm. Unwaith erioed y bûm i'n sâl môr a'r noson honno y bu hynny. A Llŷr, a oedd yn flwydd a hanner, mor

Molly Deatharege, fel finnau, wedi syrthio mewn cariad â'r Ynys Werdd ond mewn ffordd wahanol.

iach â'r gneuen, yn mynnu crwydro'r llong o lawr i lawr hyd oriau mân y bore. Efo dim mwy pwerus na Hillman Imp 875cc – a ddisgrifiodd y *Telegraph*, unwaith, fel 'heroic failure' – roedd yna bum awr o yrru wedyn i gyrraedd Ballina.

Mae Ballina yn dref hyfryd oddi ar yr N59 ar lan afon Moy. Mae'r capel – a'r mans bryd hynny am y pared ag o – yn Stryd Walsh: wedi ei henwi felly ar ôl Patrick Walsh a ddienyddiwyd gan Fyddin Lloegr mor bell yn ôl â 1798. Mae'n amlwg i'r stryd lynu at ei thraddodiad oherwydd cawsom sawl noson ddigwsg. Gan fod pencadlys y Garda union gyferbyn, byddai tinceriaid y fro – o yfed gormod o stowt lleol – yn ymgasglu'n dyrfa yng nghysgod y capel a'r mans i fygwth yr heddlu a'u herio nhw i ymaflyd codwm.

Ail-gerdded hen lwybrau o gwmpas Ballina gyda'r criw ffilmio.

Serch popeth, bu hamddena braf a chyfle inni grwydro darn helaeth o'r penrhyn: draw i draeth Killala drachefn a thrachefn ac i Ynys Achill sawl tro. Roedd Mynyddoedd Ox i'r dwyrain o Ballina a chadwyn o fynyddoedd a elwir yn Nephin Beg i'r gorllewin. Crwydro i lawr y penrhyn, hefyd, mor bell â Galway neu ar ei hytraws o Clifden i'r gorllewin eithaf.

Roedd merch bymtheg oed o Borthmadog efo ni ar y daith, Lowri – gyda'r anwyla'n bod – i warchod peth ar Llŷr a chael gwyliau bach ei hun 'run pryd. (Profiad dirdynnol, ychydig flynyddoedd yn ddiweddarach, oedd ei gweld hi'n colli'r dydd yn ferch briod ifanc.) Gan fod Eirian Davies a Jennie, a'u plant Siôn a Guto, ar wyliau tebyg yng Ngogledd Werddon dyma nhw'n galw heibio ac aros am rai nosweithiau. Daeth William Owen, ffrind coleg i mi, a Susan o Borthmadog, atom am wythnos; y ddau i briodi'n fuan wedyn. A bu bugeilio rhyw ychydig ar y praidd yn Ballina, yn absenoldeb eu bugail, yn brofiad a gyfoethogodd fy siwrnai innau fel gweinidog.

Hanner can mlynedd a mwy yn ddiweddarach cawsom ddychwelyd i Ballina i ail-fyw'r ymweliad cyntaf fel petai, a'i ffilmio ar gyfer cyfres deledu. Bu'r croesi hwnnw'n un esmwythach. Mae drysau'r capel yn dal yn agored led y pen a'r eglwys, faint bynnag ei maint erbyn hyn, i'w gweld fel pe'n sioncach, yn llai ffurfiol a chanddi wefan ddiddorol odiaeth. Americanes oedd y gweinidog, Molly Deatharege, wedi syrthio mewn cariad ag Iweddon a'r bobl ac wedi dewis dod yno i bregethu a bugeilio. Yn ystod y cyfweliad dywedodd mai oedfaon anffurfiol sy'n mynd â hi erbyn hyn. 'We are a community of believers that meets in the heart of Ballina,' meddai hi. 'As a church we love to come together for a weekly service to learn more about God, worship and to have fellowship with others.' Un o'i breuddwydion hi ydi gweld chwalu muriau rhwng yr enwadau a'i gilydd a chwalu'r mur uwch hwnnw sy rhwng yr Eglwys a'r byd. Yn ddiweddar, ar awgrym y Church Army – mudiad cenhadol a sefydlwyd unwaith gan Eglwys Loegr – penderfynodd Catholigion, Methodistiaid, Presbyteriaid ac Anglicaniaid Ballina brynu bws ar y cyd i fynd â'r stori allan: 'With our Big Blue Bus we take our mission on the road to housing estates around Ballina to deliver social outreach and mission activities.'

I ddychwelyd at y cyfnewid aelwydydd, y tŷ benthyg mwyaf bwganllyd y buom yn aros ynddo o ddigon oedd hwnnw a safai ar greigle uchel, ymhell

Y tŷ benthyg mwyaf bwganllyd y buom yn aros ynddo erioed.

o bob man, yng nghanol llwyni a choed, uwchben Loch Awe yn Argyll a Bute yn Ucheldir yr Alban. Gweinidog yn tynnu ymlaen mewn dyddiau oedd am roi ei draed ar y ffender am ychydig wythnosau a chael gweinidog arall, nid i gyfnewid aelwyd, ond i arwain oedfaon yn ei le.

O'i gyfarfod, fe'n sicrhawyd y byddai aros yn yr hanner plasty, a fu'n fans unwaith, yn brofiad i'w gofio. (Bu felly, yn anffodus.) Roedd y Frenhines Fictoria wedi cysgu yn un o'r llofftydd a'r ystafell a'r gwely heb eu styrbio er y noson frenhinol honno.

Gan fod y lle yn llawn tamprwydd bu'n rhaid cynnau tân mewn un ystafell a'r plant a ninnau'n cysgu ar lawr caled yn y fan honno. Roedd yno 'bresenoldeb' hefyd: sŵn troed ar y grisiau berfedd nos, efallai, neu sŵn llestr yn torri'n deilchion mewn ystafell a drws honno ar glo. Rhwng dau Sul, dyma ddianc i fyny am Skye a chael gwely a brecwast ym mhentref Uig i adfer ein cwsg ac adennill blas ar fyw.

Fe allai gwyliau o'r fath fod yn segurdod llwyr, dim byd mwy na chyfnewid tŷ. Mân bethau fyddai'r unig ddyletswyddau, a hynny ar dro: bwydo cath neu fwji neu daflu llygad dros yr ardd. Wedi meddwl, yn ystod yr haf hudolus hwnnw yn Ballina, a'r 'manse exchange', y bu'r gwir syrthio mewn cariad â'r Ynys Werdd gan ddychwelyd yno, drachefn a thrachefn, a thrachefn gydol y blynyddoedd.

'Arglwydd, mae yn nosi'

Yn yr ychydig fannau, erbyn hyn, lle ceir oedfa ar nos Sul cenir emyn Elfed i gloi pethau, 'Arglwydd, mae yn nosi.' Ym mis Mehefin, a hithau'n dal yn olau am oriau wedyn, mae yna rywbeth yn gomig yn yr arfer. Ond unwaith, yng nghefn gwlad, oedfa'r hwyr oedd piau hi. Fodd bynnag, erbyn i mi gyrraedd Porthmadog roedd oedfa'r hwyr yn 'nosi' yn ystyr

Angen mynychwyr oedfa'r nos, ar y pryd, oedd awr dawel nid 'light entertainment'.

arall y gair. Hynny, mae'n debyg, a theimlo y dylid ffitio'r wadn fel bo'r troed, a'm harweiniodd i gredu y dylid arbrofi peth.

Pan gyrhaeddais at ddrysau'r capel un nos Sul yn 1967 roedd yna griw ffilmio wedi cyrraedd yno o fy mlaen i. Ond i ddechrau'r stori o'i chwr. Gan y pwysleisiwn i bryd hynny fod yr Eglwys yn bod er mwyn y byd – 'the open church' oedd un o sloganau'r cyfnod – tybiais y dylai'r gynulleidfa gyfan, ar dro, fynd allan i dystio ac y byddai nos Sul yn slot ardderchog i arbrawf. Cyfarfod yn y capel i ddechrau, ar gyfer defosiwn byr, yna mynd allan fesul dau a dau, neu ragor, i ymweld ag ysbytai a chartrefi preswyl ynghyd â phobl yn eu cartrefi. Aeth y stori ar wasgar a chan fod teledu Cymraeg y bwrw Sul hwnnw, mae'n amlwg, yn brin o ddeunydd, dyma yrru Gwilym Owen i Borthmadog i godi sgwarnog.

Fedra i, bellach, gofio fawr ddim am y cyfweliad. Gyda'r caredicaf o'r blaenoriaid a eglurodd beth oedd gwendidau a pheryglon y fenter a finnau wedyn yn ceisio achub y syniad. Wedi diffodd y peiriannau, mi wn i ni fynd i'r capel i gael gair o weddi cyn mentro allan i strydoedd Porthmadog ac ymhellach na hynny.

Marw-anedig braidd fu hanes yr arbrawf. Y gynulleidfa a'r blaenoriaid wedi gweld ymhellach

Blaenoriaid a gweinidog *newydd* yr olwg braidd.

na'u gweinidog. Y gwir oedd bod yna ddigon o oriau eraill mewn wythnos i wneud y gwaith, ac roedd y gwaith yn cael ei wneud yn barod yn ystod yr oriau hynny. Angen mynychwyr oedfa'r nos, ar y pryd, oedd awr dawel. Un dawelach o gryn dipyn na sŵn y myrdd plant a fynychai'r oedfa deulu fore Sul. Un bore Sul wrth fynd allan o oedfa o'r fath y gofynnodd un wraig i mi, 'Ydan ni'n mynd i gael *light entertainment* gynnoch chi bora Sul nesa eto? Os ydan ni, dw i am fynd i Salem, at yr Annibynwyr.' Arall, chwarae teg, oedd ei hangen hi ac i Salem yr aeth hi.

Wn i ddim chwaith am ba hyd y parhaodd yr arbrawf: mae'n amlwg y bu peth dygnu arni. Dyma a ymddangosodd yn Adroddiad 1967: 'Profiad newydd a dyrchafol oedd cael neilltuo nos Sul i fynd allan. Can diolch i bawb a roes ei gar neu ei amser i wasanaethu byrddau. Fe ffurfiwyd pont rhwng ein heglwys a rhai o gartrefi henoed ac ysbytai'r fro. Pwy a ŵyr na chawn ni arbrofi'n bellach maes o law?'

'Dros Gymru'n gwlad, o Dad, dyrchafwn gri'

Yn achlysurol, yn nechrau'r Saithdegau a chyn hynny, dechreuwyd cynnal ambell oedfa wahanol yn y Tabernacl am wyth ar nos Sul a'r drysau'n agored i'r byd. Un arfer oedd cael Cristion amlwg i ddod yno i annerch, un y teimlid fod ganddi hi neu fo neges i'r cyfnod. Yna, gwahodd rhai o'r tu allan i furiau'r capel i ymuno yn y digwyddiad a sicrhau cerddoriaeth gyfoes, sionc gan fandiau neu unigolion yn fath o gyfeiliant ar y noson. Yn gefnogol iawn, daeth Dafydd Iwan yno ac yntau yn anterth ei boblogrwydd.

A sôn am yr 'oedfaon wyth', ym Mehefin 1969 rhoddwyd gwahoddiad i Gwynfor Evans, Arweinydd Plaid Cymru ac Aelod Seneddol dros Gaerfyddin ar y pryd, i ddod yno. Fe'i gwahoddwyd, nid ar sail ei wleidyddiaeth ond oherwydd ei deyrngarwch i'w eglwys leol ac i enwad yr Annibynwyr. Diau i'r ffaith bod ei dad yng nghyfraith, Dan Thomas, yn un o selogion pennaf y capel, fod yn abwyd i'w ddenu yno.

Y nos Sul honno roedd rhai wedi gorfod dringo i'r galeri i gael lle i eistedd. Un achos tyndra ar y noson oedd fod yr Arwisgo yng Nghaernarfon wrth y drws a Chymru wedi hollti. Yn anffodus, brawddeg gyntaf Gwynfor oedd, 'Rhaid cael Cymru'n Gymru rydd!' a phregeth wleidyddol, wresog a gafwyd: 'Dros Gymru'n gwlad, o Dad, dyrchafwn gri.' Wn i ddim a fu cyfeiriad at yr Arwisgo o gwbl ar y noson. Penderfyniad Gwynfor oedd osgoi'r pasiantri yng Nghastell Caernarfon, a chan i'r Tywysog wrthod gwahoddiad i swper yn ei gartref, y Dalar Wen yn Llangadog, cyfarfu'r ddau ym Mharc Caerfyrddin.

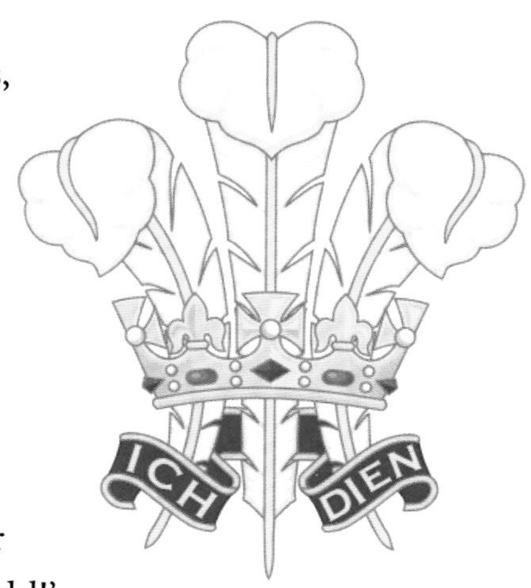

A Chymru wedi ei hollti rhoddwyd gwahoddiad ym Mehefin 1969 i Gwynfor Evans, Arweinydd Plaid Cymru ac Aelod Seneddol dros Gaerfyrddin ar y pryd, i ddod i'r Tabernacl i annerch.

Wedi'r noson yn y Tabernacl, parhaodd y tyndra ymhlith pobl y dref am gryn gyfnod. Asgwrn y gynnen oedd, nid y ddau a laddwyd gan eu bom eu hunain noswyl yr Arwisgo ond yr hyn a ddigwyddodd i hogyn deg oed a oedd ar wyliau yng Nghaernarfon. Sut y cysylltid y ddeubeth â'i gilydd, does neb hyd y gwn i a ŵyr, ond dyna oedd y teimladau ar y pryd. Weithiau ym myd crefydd, fel ym myd gwleidyddiaeth, mae dau a dau yn medru gwneud pump.

Bedwar diwrnod yn ddiweddarach, ar 5 Gorffennaf, fe wnaeth y ddyfais oedd wedi ei gosod tu ôl i'r siop ar Ffordd Bangor yng Nghaernarfon ffrwydro ac anafu bachgen bach 10 oed o'r enw Ian Cox oedd ar ei wyliau o Loegr.

Roedd wedi neidio dros y wal i'r iard i nôl ei bêl. Fe gollodd y bachgen ei goes dde a dioddef llosgiadau drwg i'w goes chwith. Cafodd anafiadau hefyd i'w wyneb a rhan helaeth o'i gorff a bu raid iddo gael 10 mlynedd o lawdriniaethau poenus.

Mewn cyfweliad gyda'r hanesydd Wyn Thomas ar gyfer ei gyfrol *Hands Off Wales* [*Hands Off Wales: Nationhood and Militancy*, 2013] dywedodd Ian Cox – aeth ymlaen i redeg tafarn lwyddiannus yn Sir Buckingham – nad oedd ganddo unrhyw gydymdeimlad ag achos Mudiad Amddiffyn Cymru. ('Cynllwyn, cyffro a chyfrinach Arwisgo' – BBC Cymru Fyw)

'Digwyddiad '73'

'Mae 'na lawer rhyfeddod wedi digwydd erioed ym Mhafiliwn Corwen,' meddai Robin Williams ar Radio Cymru, un bore Sul yn Nhachwedd 1973, 'ond o blith yr holl ryfeddodau hwn oedd y mwyaf un, reit siŵr gen i. O'm blaen i fan'ma mae croes fawr ac mae yna fintai o bobl ifanc yn sefyll wrth y groes dan ganu.'

Ar gais yr ifanc ac oherwydd y cyffro a oedd ar gerdded yn eu plith ar y pryd y trefnwyd 'Digwyddiad '73'. Fe ddaeth cryn 250 neu ragor yno, yn bobl ifanc o bob rhan o'r gogledd; llond bws o'r Wana Christos o Borthmadog yn eu plith. A'r ifanc, a'r ifanc yn unig, oedd yn amlwg yn y cenllif. Yn wir, roedd yna fawr ryfeddod wedi digwydd yn y Pafiliwn dri mis ynghynt, 8 Awst 1973, a'r Eisteddfod Genedlaethol yn Rhuthun. 'Tafodau Tân' oedd enw'r cyngerdd y noson honno gydag ymddangosiad y grŵp pop Cymraeg rhyfeddol hwnnw, Edward H. Dafis.

Er mai 'Tafodau Tân' oedd teitl y cyngerdd, noson lawen eithaf traddodiadol a ddisgwylid gan y gynulleidfa ym mhafiliwn gorlawn Corwen ar nos Fercher 8 Awst [1973] yn ystod wythnos Eisteddfod Genedlaethol Rhuthun. A dyma gafwyd ar ddechrau'r noson: clywyd llais swynol Leah Owen, caneuon protest Dafydd Iwan a chanu gwerin gan Elfed Lewis, ond yna daeth grŵp pop newydd sbon i'r llwyfan a chreu cymaint o gyffro fel y bu i rai o aelodau'r gynulleidfa neidio ar eu traed a dechrau dawnsio. Dyma oedd ymddangosiad cyntaf 'Edward H. Dafis', y grŵp pop Cymraeg mwyaf poblogaidd erioed o bosibl ... Bu'r grŵp yn perfformio ledled Cymru tan 1976, ac am gyfnod byr rhwng 1979 ac 1981, a chynhyrchwyd nifer o recordiau hir poblogaidd ... Daeth y grŵp yn ôl at ei gilydd yn 1996 er mwyn recordio rhaglen arbennig a ddarlledwyd ar S4C ar ddechrau Ionawr 1997.

— Edward H, *Llyfr y Ganrif*

A benthyca teitl record hir gynta'r grŵp hwnnw, a rhoi iddo ystyr wahanol, rhai o 'Blant y Fflam' oedd ym Mhafiliwn Corwen dri mis yn ddiweddarach, 10 Tachwedd 1973. Fel 'Digwyddiad '73, Rali i Gristnogion Ifanc, o ddeg y bore hyd ddeg yr hwyr', y cafodd yr achlysur hwnnw ei hysbysebu, gyda'r isdeitlau, 'Dysgu, Cenhadu, Tystio'. At gyffro'r Sadwrn bythgofiadwy hwnnw y cyfeiriai Robin Williams ar y radio y bore Sul canlynol.

Peth rhyfeddol oedd gweld tyrfa o bobl ifanc yn gwrando'n gegrwth ar weinidog canol oed, neu hŷn, yn agor y Beibl ac yn gwaedu peth o'i gynnwys – a hynny am awr a rhagor. Yn nes ymlaen – a hithau'n bnawn Sadwrn gêm rygbi ryngwladol yn ogystal – aeth tyrfa allan i'r stryd i rannu eu profiadau efo hwn ac arall.

Pafiliwn Corwen; lle rhyfeddol.

Yn niwedd y Chwedegau roedd 'diwygiad' yn ffenomen ddiarth iawn i un fel fi, a faged ar y frechdan emynau arferol gyda phregeth ffurfiol yn fath o ddanteithfwyd yn y canol. Ond y diwrnod hwnnw ym Mhafiliwn Corwen yr ebrwydd a'r parod, a'r syth o'r frest, oedd piau hi. Roedd yno groes bren o gryn faint wedi ei gosod ar ganol llwyfan gyda chyfle i'r ifanc fynd ati i sefyll neu benlinio, i offrymu gweddïau, i ganu neu i gyffesu neu i ymgysegru. A dyna oedd yn digwydd. Nos Sadwrn, serch hynny, a'r dyrfa wedi chwyddo bellach i 300 a rhagor y daeth y Brenin adref.

Arthur Blessitt tua 1983, a ddaeth i enwogrwydd am gario croes 12 troedfedd ar ei ysgwydd.

Ar wahân i'r radio, fe gerddodd yr hanes i rai o'r papurau newydd. 'Arwyddion bywyd newydd' oedd pennawd gofalus un papur newydd. Barn bendant gohebydd *Y Tyst* oedd 'fod yr Ysbryd Glân yno ac ar waith'. 'Fûm i rioed mewn dim byd fel hyn o'r blaen,' meddai merch ifanc o Feirionnydd a dagrau'n powlio i lawr ei gruddiau. 'Diolch i ti,' meddai llanc corffol o Sir Fôn, yn union fel'na, 'i ble byddwn ni'n mynd nesa dŵad?'

Anodd coelio erbyn hyn, ond un dylanwad ar y pryd oedd Mudiad Pobl Iesu, The Jesus Movement, a sefydlodd ei hun ar arfordir gorllewinol America yn niwedd y Chwedegau. Cerddodd drosodd i Ewrop, Prydain a hyd yn oed i Gymru – i blith rhai a oedd yn Gymry Cymraeg. Yr un pryd roedd yna Americanwr, Arthur Blessitt, yn cario croes ar ei ysgwydd – 12 troedfedd o hyd, y trawsbren yn 6 troedfedd o led ac yn pwyso 45 pwys – drwy gynifer o wledydd y byd ag a fyddai'n bosibl. Dechreuodd arni fore Nadolig 1969 a chyrraedd Gogledd Iwerddon yn Awst 1971. Yn 1987 bu'n crwydro Cymru: Abertawe, Caerdydd, Caerfyrddin, Aberystwyth cyn cyrraedd Bangor. Er i rai yn ddiau gael bendith, math o stynt efengylaidd oedd y bererindod a bywyd Blessitt ei hun, cyn y diwedd, o dan gryn feirniadaeth. Bûm mor feiddgar, unwaith, â chynnal gaeafau o seiadau neu sgyrsiau wythnosol ar bynciau o'r fath. Rwy'n rhyfeddu byth mor oddefol a gwerthfawrogol fu'r aelodau, a oedd yn ganol oed a hŷn na hynny. Ac fel petai hynny ddim yn ddigon, bûm mor fentrus â throi'r deunydd yn gyfrol a'i galw yn *Achub Lyfli Pegi*. Gwell egluro nad un o sêr y ffilmiau oedd y 'Pegi' yma ond hen alaw bop a ddewisodd Pantycelyn ar gyfer rhai o'i emynau – er mai 'Lovely Peggy, Moralised' a ysgrifennai'r Pêr Ganiedydd gan amlaf. Rhan o athrylith Tadau ifanc y Diwygiad Methodistaidd oedd benthyca adnoddau a chyfarpar oddi ar y byd bob dydd er mwyn hyrwyddo'r efengyl a chyflwyno'r neges yn gyfoes a pherthnasol.

Mi fydda i'n cwrdd ar dro â phobl ganol oed, a hŷn bellach, a oedd yn bobl ifanc yn ystod fy mlynyddoedd i ym Mhorthmadog: rhai'n brithgofio am a fu ac ymdrechion megis 'Digwyddiad '73'; eraill yn cofio dim. Un perygl, wrth geisio dwyn ddoe yn ôl dros ysgwydd 45 o flynyddoedd ydi goreuro'r lili. Hynny ydi, fod y gwynfyd yn fwy nag oedd o mewn gwirionedd. Y perygl arall, wrth gwrs, ydi gadael i hyd y blynyddoedd, ac i farweidd-dra'r presennol bylu'r atgofion, lladd y fendith a brofwyd unwaith. Dyna wefr fyddai clywed yn wahanol – ar dro.

Capel y Porth, newydd ei agor yn gartref cyfoes i saith eglwys.

Dw i'n sgwennu hwn tra ar encil y Pasg yng Nghanolfan Sant Beuno ger Tremeirchion. Dw i wedi meddwl sgwennu atoch lawer gwaith, ac wedi cychwyn arni sawl tro hefyd. Ond wrth ailddarllen yr hyn a sgwennwyd, mi ro'n i'n clywed fy hun yn deud i be mae o isio clywed hynny gen ti? Ac aethai'r llythyr i'r bin! Ond nid felly'r tro yma! Mae'n debyg mai wrth gael cyfnod tawel ar encil fel hyn, a sugno distawrwydd y lle ac ymdawelu, mae'na bethau y mae rhywun yn medru eu gneud! Gorfod i mi yn ddiweddar nodi'r pethau fu'n allweddol bwysig i mi o gyfnod plentyndod hyd at heddiw, ac un o'r cyfnodau pwysica' un yn sicr oedd y cyfnod pan oeddach chi'n Port, a finnau yn f'arddegau ac yn dod i'r Wana Christos. Mae'r hyn ges i gynnoch chi [cyfrwng yn unig oeddwn i] wedi aros efo mi – dw i'n cofio'r teimladau hynny. Dw i'n trysori'r profiadau ges i, yn cofio'n iawn sut ro'n i'n teimlo ar y pryd, ac er prifio yn grefyddol falle ers hynny, mae'r profiadau rheiny'n gynnes braf o hyd yn fy nghalon i! Ar gyfnod o encil, dw i'n cofio hyn i gyd gydag anwyldeb mawr a chyda llawer o ddiolch i chi. — Cerdyn a anfonwyd i mi gan Carys Medi [Lake], Porthmadog, Sadwrn Sanctaidd, Ebrill 7fed 2012)

Annwyl Mr Parri,

Sadwrn Sanctaidd, Ebrill 7fed '12.

Angori yng Nghaernarfon

Bu codi angor a hwylio am Gaernarfon yn siwrnai o ofidio a gobeithio. I'r hogiau, y naill yn ddeg a'r llall yn ddeuddeg, y bu'r gadael tir anoddaf – cefnu ar ffrindiau da. Yna, ein pedwar yn angori mewn tref a oedd yn eithafol o wahanol ac iddi fath o unigrywiaeth nad oes, o bosibl, ei debyg. Yn arbennig felly'r dafodiaith a berthyn i'w brodorion. Iddyn nhw, Cymraeg ydi'r iaith gysefin o hyd ond gyda hawl i gamynganu geiriau a chymysgu cenedl enwau yn ôl eu greddf. Ac mae Caernarfon yn dref braf i'w cherdded.

Capel na chredwn, unwaith, y dylid ei godi

Yng Nghaernarfon mi fûm i am yn agos i chwarter canrif yn weinidog mewn capel na chredwn, cyn cyrraedd yno, y dylid fod wedi ei adeiladu o gwbl. Mae'n debyg i mi glywed yn nyddiau Porthmadog am fwriad posibl y Swyddfa Gymreig i agor ffordd

Seilo, yr ail gapel a godwyd yn 1900, pedair blynedd cyn y Diwygiad – 'mil harddach nag o'r blaen'

osgoi newydd a fyddai'n mynd drwy dref Caernarfon – ac uwch ei phen mewn un man fel y digwyddodd pethau'n ddiweddarach. Pan ddaeth y cynllun i olau dydd yn nechrau'r Saithdegau gwelwyd y byddai'n rhaid chwalu Capel Seilo, a eisteddai 850 – dwbl rhif yr aelodaeth ar y pryd – a Seilo Bach, ysgoldy a oedd yn union dros y ffordd iddo. Yno y cyfarfyddai achos cenhadol a berthynai i'r eglwys.

Un opsiwn posibl oedd i'r eglwys ymuno â chapel arall o'r un enwad yn y dref. Ac roedd yna ddewis o dri, fel roedd pethau: Moriah, Engedi a Beulah (fel yr ysgrifennid yr enwau'n ffurfiol, bryd hynny) a fyddai dipyn yn gyfyng, fe ddichon. Y dewis arall, gan y byddai arian ar gael gan y Swyddfa Gymreig, oedd codi adeilad newydd mewn man arall yn y dref. A hwnnw oedd y dewis poblogaidd.

Teimlai nifer ohonom ni, weinidogion, a oedd yn weddol ifanc, mai cwbl ddianghenraid a gwastraffus fyddai adeiladu capel arall yng Nghaernarfon – o bobman: tref na fu erioed yn brin o eglwysi a chapeli nac yn brin, chwaith, o gyfleoedd i addoli. Er enghraifft, yn ôl Cyfrifiad 1901 roedd poblogaeth y dref yn 9,670 gyda 17 o addoldai a phump ysgoldy cenhadol ar ben hynny. Rhwng y cyfan roedd yna sedd i bob enaid yn y dref mewn rhyw adeilad neu'i gilydd, a mwy na hynny. Ar ben hynny, erbyn 1975 gyda rhif yr aelodau, a nifer y rhai a addolai'n gyson, wedi gostwng roedd yna fwy fyth o seddau sbâr.

Bu cryn lythyru o'r ddwy ochr. Aeth rhai ohonom mor bell â threfnu i gwrdd â rhai o arweinwyr Eglwys Seilo i fynegi'n barn. Ofer fu'r bygylu, gyda'r sefydliad enwadol yn gryf o blaid y bwriad.

Ar y Sul olaf o Ionawr 1908 – heb rybudd na chaniatâd hyd y gwn i – anfonodd *The Carnarvon and Denbigh Herald* ohebydd i bob llan a chapel yng Nghaernarfon i gyfrif nifer yr addolwyr fore a hwyr. Cyhoeddwyd y canlyniadau y Gwener canlynol. 'We will content ourselves here with giving the figures only' ond gan ychwanegu, 'Nearly half the people of Carnarvon never attend church.' Rhif yr addolwyr yn y bore oedd 1,580 a 3,367 yn yr hwyr. Felly, 51% o'r boblogaeth oedd wedi addoli y Sul hwnnw. Moriah oedd yr eglwys fwyaf niferus ei haelodau, 626, gyda 235 yn addoli yn oedfa'r bore. Cyn lleied â 18 oedd yn addoli gyda Byddin yr Iachawdwriaeth y bore hwnnw. Erbyn yr hwyr, roedd rhif yr addolwyr yn y fan honno yn fwy na rhif yr aelodau. Engedi a ddaeth i'r brig yn yr hwyr gyda chynifer â 472 yn bresennol a dim ond 40 yn yr Eglwys Gatholig. Holwyd barn y gweinidogion a'r offeiriad a chaed esgusion lu: adwaith i lanw annaturiol Diwygiad 1904-1905; y dwymyn goch, *scarlet fever*, ar gerdded (roedd un o'r ysgolion ac un ysgol Sul wedi gorfod cau) yn ogystal â'r tywydd, 'an exceptionally rough day'. Barn yr *Herald*, fodd bynnag, oedd y byddai cynifer yn absennol ar dywydd braf: 'strolling in the park, rambling in the country, or going further afield on their bicycles'. I fod yn deg, pan wnaed ail gyfrifiad, hirddydd haf, mis Gorffennaf 1908, cynyddodd rhif yr addolwyr i 55% o'r boblogaeth.

Y tro pedol hwnnw

Erbyn haf 1976 roedd yr adeilad wedi ei godi ac Eglwys Seilo yn hysbysebu am weinidog. Wn i ddim a ddaeth cynigion i law ai peidio; do, mae'n debyg. Fodd bynnag, un hwyrnos daeth gweinidog o Gaernarfon i Borthmadog i ofyn i mi, yn answyddogol fel petai, a fyddwn i o leiaf yn ystyried symud i Gaernarfon. Doedd dim pellach o'm meddwl i ar y pryd a theimlwn, prun bynnag, y byddai cymryd tro pedol o'r fath yn rhy anodd ac yn rhy annerbyniol.

Fy nadl i oedd na allwn newid fy marn.

Daith ail gais, un swyddogol, yn gofyn a ddown i o leiaf i gwrdd â dirprwyaeth o'r capel i wrando ar eu dadleuon heb ymrwymo i unrhyw addewid. Dydw i erioed wedi trafod na datgelu dim am y drafodaeth ddwys a gafwyd mewn cartref yng Nghaernarfon un min nos. Fy nadl i oedd na allwn newid fy marn. Eu gwrthddadl nhw oedd nad oedd yna ofyn i mi newid fy marn, na bod disgwyl i mi wneud hynny. Bellach, medden nhw, mae ddoe wedi bod, yr adeilad wrthi'n cael ei godi, yr eglwys ar gamu ymlaen, ond mewn idiom wahanol, a'n cred ni ydi – er mawr syndod i mi – y medrwch *chi* fod o gymorth i ni:

> O'r cychwyn cyntaf yr oedd bwriad i'r adeiladau newydd wasanaethu anghenion cymdeithasol y dref yn ogystal â'r anghenion

> crefyddol, ac arfaethid dangos fel mae gan yr Eglwys Gristnogol ran ym mywyd-bob-dydd pob un ohonom. Gyda hynny mewn golwg, adeiladwyd ar ddwy lefel: ar y lefel uchaf, y capel gyda lle i 410 addoli ynddo, ac ar y lefel isaf, theatr yn dal 300. Yn ogystal, ceid ystafell gymdeithasol, ystafell ieuenctid gyda chyfleusterau bar coffi, ystafell daflunio, ystafell i'r gweinidog a'r swyddogion, ceginau ac ystafelloedd newid.
> — William Gwyn Lewis, *Calon i Weithio, Trem ar hanes Eglwys Seilo Caernarfon*, 1986

A thro pedol fu hi ond nid heb gryn fyfyrdod a gweddi.

Gweinidog eglwys wahanol i'r un a'm galwodd

Y bore hwnnw, 10 Gorffennaf 1976, canodd y ffôn yn blygeiniol o gynnar. Griffith Parry, Goruchwyliwr Llyfrfa'r enwad yng Nghaernarfon oedd yno. Ei neges, er i mi wrthod ei choelio ar y dechrau un, oedd bod capel mawr Moreia – cadeirlan yr anghydffurfwyr yn y dref i bob pwrpas – wedi mynd ar dân yn ystod oriau'r nos a llosgi i'r llawr.

Yr unig newydd gobeithiol oedd fod y festri helaeth a berthynai i'r adeilad wedi cael ei harbed.

Gan ei bod hi'n stori a fyddai o ddiddordeb cenedlaethol, peth chwith fyddai ei bod hi'n cael ei hadrodd ar radio a theledu, yn y papurau dyddiol ac yn y rhai wythnosol yn nes ymlaen, a dim gair amdani yn *Y Goleuad*, papur yr enwad. Felly, gan mai fi oedd ei olygydd ar y pryd, dyma benderfynu mynd ar ôl yr hanes ar gyfer y rhifyn nesaf. (Roedd y rhifyn cyfredol yn cyrraedd y darllenwyr ychydig oriau wedi i'r tân gael ei ddiffodd ond yr adeilad yn dal i fygu.) Yn naturiol, roedd swyddogion yr eglwys yn gwbl amharod i ymateb hyd nes iddyn nhw gael amser i ystyried y sefyllfa.

'Llosgi Capel Moriah', toriad o'r *Goleuad*, Gorffennaf 1976

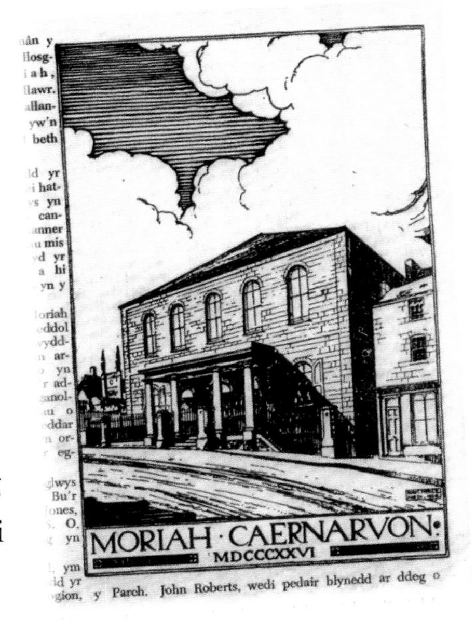

Gan mai papur yr enwad oedd *Y Goleuad* bu'n rhaid i mi geisio adrodd y stori o safbwynt yr hyn a fyddai o ddiddordeb i'r darllenwyr arferol a gadael y penawdau cofiadwy a'r gorliwio i eraill. 'Moriah yn Lludw' oedd pennawd bras tudalen flaen y rhifyn nesaf o'r *Herald Cymraeg* gyda'r isbennawd, 'Pum brigâd a hanner cant o ddynion.' Yn ôl yr adroddiad hwnnw, roedd y tân mor ffyrnig nes llosgi'r paent ar ffenestri a drysau tai cyfagos.

Agor drws y Seilo newydd

Y Parchedig William Morris: 'ei anrhydedd pennaf oedd cael pregethu'r Gair.'

Cyn hanner awr wedi naw y bore Sul cyntaf o Hydref 1976 roedd yna giw wrth y drws, fel yr un a fyddai wrth ddrysau'r Palladium ym Mhwllheli ar nos Sadwrn pan o'n i'n hogyn. Roedd yna frys hefyd i gael rhuthro i mewn. Nid am fy mod i yn arwain fy oedfa gyntaf. Y glaw mân oedd yn gwlychu at y croen a William Morris – un o gyn-weinidogion Seilo a blaenor yno erbyn hynny – yn oedi nes ei bod hi'n ddeg union cyn agor yr adeilad newydd, yn swyddogol, am y waith gyntaf. Yna, mewn mymryn o gysgod, a minnau wrth ei gynffon, gwnaeth hynny gyda llawenydd a graslonrwydd mawr.

Un o Flaenau Ffestiniog oedd William Morris ac o'r herwydd yn gynnyrch ardal gwbl Gymreig. Talodd W. Gwyn Lewis, un o blant yr eglwys, deyrnged hyfryd iddo yn ei gyfrol, *Calon i Weithio*:

> Yr oedd yn feddiannol ar bersonoliaeth ddi-ymhongar a gwerinol a'i gwnâi hi'n hawdd iddo ymwneud â phawb yn yr un modd yn ddiwahân. Byddai ei lais hudolus yn swyno cynulleidfaoedd, ac roedd ei ffraethineb naturiol a'i hiwmor direidus yn cynhesu pawb tuag ato. Nodweddid cyfnod maith ei weinidogaeth yn Seilo gan fwrlwm gweithgarwch llwyddiannus ym mhob rhan o fywyd yr eglwys.

Profodd Cymru benbaladr, wrth gwrs, o ddoniau William Morris. Yr oedd yn boblogaidd fel bardd, ac wedi ennill Cadair Genedlaethol. Bu'n Archdderwydd yn ogystal. Gwerthfawrogwyd ei wasanaeth gan y Brifysgol â gradd M.A., a chan y Wladwriaeth. Ond ei anrhydedd pennaf oedd cael pregethu'r Gair. Dyma'r peth pwysicaf iddo ar hyd ei oes, ac ymdrafferthai i saernïo'i bregethau'n grefftus gyda darluniau byw, grymus.

Doedd William Morris ddim yn ddiarth i mi cyn i mi gyrraedd Caernarfon. Yn fyfyriwr, cefais wahoddiad, cwbl annisgwyl, i bregethu efo fo mewn cyfarfod pregethu yn Nyffryn Clwyd. (A rhannu llofft ar ben hynny.) Cofiwn ei gynghorion i mi ar y ffordd adref yn y car: cynilo wrth baratoi pregeth, math o osgoi rhoi galwyn mewn jwg peint. Rhaid felly i mi wneud hynny yn yr ŵyl bregethu! Yna, pan awn yn weinidog, mynd at y ddesg am wyth bob bore, cyn prysurdeb y dydd. Wedi i mi gyrraedd Caernarfon cefais ei gefnogaeth lwyr, 'Dach chi'n gneud yn *iawn*.' 'Iawn' oedd ei air mawr. Yn wir, roeddwn i wrth erchwyn ei wely ac yntau yn ein gadael, fore Sadwrn, 7 Ebrill 1979.

'Doedd fy ieuengrwydd i o ran pryd a gwedd ddim wedi llwyr gilio . . .'

I ddychwelyd at y Sul cyntaf hwnnw, pe medrwn byddai'n well gennyf fod yn cyfeilio y bore hwnnw na

Gyferbyn: Seilo, Caernarfon, a agorwyd bore Sul, 3 Hydref 1976

thraddodi'r bregeth. Pe medrwn ddeudais i. Eto, mi wyddwn nad yr oedfa gyntaf fyddai'r glorian, ond yn hytrach y llwybrau a allai agor o'm blaen, tu mewn a thu allan i'r adeilad. Hynny ydi, os cawn y ffydd, y gobaith, y cariad a'r iechyd i fedru eu cerdded.

Dechrau'r mynd o dŷ i dŷ

Wedi i ni gyrraedd, bu cyfarfod sefydlu a chyfarfod croeso fel a fyddai wedi digwydd ym mhobman arall. Gwyddwn, fodd bynnag, y byddwn o fewn deufis neu dri yn bugeilio eglwys wahanol iawn i'r un a'm galwodd, o ran rhif yr aelodau yn un peth; eglwys, ar un ystyr, nad oedd mewn bod pan dderbyniais i yr alwad i ddod i Gaernarfon yn weinidog.

Rhai o'r plant cyntaf i berfformio ar lwyfan Theatr Seilo yng ngwanwyn 1977; yn ganol oed a hŷn erbyn hyn!

SEILO

Gyda rhai o'r blaenoriaid ar y dydd yr agorwyd y capel newydd.

Felly, cychwyn cwbl newydd, cyfle cwbl newydd ac o bosibl mentro agor ambell gŵys newydd. O ran y bugeilio, y drefn arferol fyddai blaenor, y waith gyntaf, yn mynd â'r gweinidog newydd o dŷ i dŷ gan roi ychydig o wybodaeth iddo am y teulu cyn rhoi cnoc ar y drws – hyd at roi enw'r gath os tybid y byddai hynny yn cynhesu'r croeso. Y tro yma, penderfynais ymweld â holl gartrefi'r eglwys newydd ar fy mhen fy hun ac i'm hadnabyddiaeth o'r gwahanol deuluoedd gael cyfle i dyfu gydag amser. Eto, bu i'r hunan-ymweld hwnnw ei gamau gweigion.

Er enghraifft, doedd fy ieuengrwydd i o ran pryd a gwedd ddim wedi llwyr gilio. Pan elwais mewn cartref yn Ael-y-garth lluchiwyd y drws ffrynt yn agored cyn i mi ei guro, a daeth gŵr y tŷ i'm cyfarfod yn wallgof ulw. Pwyntiodd at y ffordd fawr a'm gorchymyn i ymadael cyn bod gwaeth. Wedi ceisio egluro pwy oeddwn i, fu erioed y fath ymddiheuro. Wedi tybio roedd o mai fi oedd y llanc anystywallt hwnnw oedd yn mynnu mynd â'i ferch – chweched dosbarth – am dro bob min nos yn hytrach na'i bod hi'n gwneud ei gwaith cartref.

Cnoc ar ddrws yn Stryd y Degwm, wedyn, a gwraig dipyn o oed yn fy ngwadd i mewn yn siriol, math o 'chdi a chithau', bron. Yna, cyn i mi gael cynnig eistedd rhuthrodd am ei phwrs a gwthio arian i'm hafflau. Meddwl roedd honno mai'r dyn glanhau ffenestri, arferol, oedd wedi galw gyda'r bil wythnosol. Petawn innau wedi gwisgo lifrai pregethwr, fel y dylid meddir, byddai popeth wedi bod mor glir iddi â gwydrau'i ffenestri.

Yn ôl un hen ddywediad, olwyn a phont oedd y ddau beth perffeithiaf mewn bod. *Y Bont* ydi enw cylchgrawn newydd Eglwys Seilo. Fydd y papur hwn ddim yn berffaith o bell ffordd ond gobeithio y bydd o yn fath o bont rhwng y capel a'r cartref. Gogoniant pont ydi cysylltu dau le – dwy ochr i afon

neu ddau ddarn o wlad – a bod yn help i groesi o'r naill le i'r llall. Fe ddylai'r cylchgrawn hwn, *Y Bont* hon, fod yn help i ddod â chapel Seilo a'r cartrefi sy'n perthyn i'r capel yn nes at ei gilydd. Mae'r *Bont* yn arbennig ar eich cyfer chi sy'n gaeth i'ch cartrefi a phlant yr eglwys hon sy' oddi cartref. Bydd yn gyfle hefyd i'r rhai a fydd yn danfon *Y Bont* i alw heibio i'ch cartrefi a holi eich hynt. Hoffwn i'r cylchgrawn hwn fod yn bont i gario newyddion da: sôn am y bywyd a'r brwdfrydedd sydd yn y Seilo newydd, am y wefr a gollir o beidio â dod i addoli, am y teuluoedd lawer sy' wedi ailgychwyn ac am ryfeddod Person yr Arglwydd Iesu Grist. Gwnewch y cylchgrawn yn bont a fydd yn tynnu pobl i'r capel. Fydd o yn bont rhwng y Gweinidog a'r aelodau? Mae gwybod am hynt a helynt pawb o'r chwe chan aelod a rhagor yn gwbl amhosibl, ond fyddwn i ddim yn dawel fy meddwl pe gwyddwn fod un aelod wedi bod yn wael, mewn profedigaeth neu mewn unrhyw angen bugeiliol a minnau heb glywed am hynny.
— Y Gweinidog, yn y rhifyn cyntaf o'r *Bont*, cylchgrawn Eglwys Seilo, ym Mai 1977; y cyntaf o dros ddau gant a hanner a mwy erbyn hyn.

Cerdded Clawdd Offa

Mae'n debyg mai isbennawd, blodeuog braidd, yn y *Daily Post*, 16 Mai 1985, a drodd y fenter honno'n destun siarad: 'Two Caernarfon Ministers of Religion are to preach charity with their feet.' Erfyl Blainey, gweinidog gyda'r Eglwys Fethodistaidd yng Nghaernarfon a'r cylch, oedd piau'r pâr traed arall. Bathodd y *Caernarfon and Denbigh Herald* bennawd mwy dychmygus fyth, nad oedd yn llythrennol wir, 'Ministers swop dog collars for shorts.' Ond yr un oedd yr amcan, tynnu sylw at yr apêl.

Ar y pryd, roedd y ddau ohonom yn gaplaniaid rhan-amser yn Ysbyty Bryn Seiont yng Nghaernarfon ac yn aelodau o'r Cylch Cyfeillion a gefnogai staff yr ysbyty a'r gweithgarwch a âi ymlaen yno. Yn 1985 daeth penderfyniad i helaethu Uned Macmillan a oedd yn gymaint rhan o adnoddau'r ysbyty. Byddai'r gost i gyd yn £30,000, eithaf swm ar y pryd: Cymdeithas Genedlaethol Cefnogi Cleifion Canser a Chyngor Gwynedd i fod yn gyfrifol am ddwy ran o dair o'r gost a'r ysbyty, ei hun, i gasglu'r £10,000 a fyddai'n weddill.

Ein dau yn gadael Maes Eisteddfod Genedlaethol y Rhyl a'r Cyffiniau, bnawn Iau, 8 Awst 1985, i ddechrau cerdded Llwybr Clawdd Offa.

Erfyl, gyda'i frwdfrydedd heintus, a gafodd y syniad. Wedi ei fagu yn Llanerfyl ym Mhowys, heb fod yn rhy bell o'r ffin, bu cerdded Llwybr Clawdd Offa yn freuddwyd oes iddo. A dyma benderfynu y byddem ni'n dau yn rhoi cynnig ar gerdded y llwybr

Cyfeillion Ysbyty Bryn Seiont, Caernarfon, 11 Rhagfyr 1985, yn cyflwyno siec o £10,800 – elw'r daith gerdded – i ddwy o staff yr Ysbyty sy ar y chwith a'r dde eithaf.

hirfaith hwnnw. Roedd y Cyfeillion, wedyn, yn fwy na pharod i'w throi'n fath o daith gerdded noddedig gan apelio ar unigolion, mudiadau, sefydliadau, byd busnes a'u tebyg i gyfrannu at yr apêl.

Mae Clawdd Offa yn fath o ffin, answyddogol, rhwng Cymru a Lloegr. Braw i mi wrth ailddarllen cyfrol George Borrow, *Wild Wales*, cyn dechrau ar ein siwrnai, oedd cael fy atgoffa fel yr arferai'r Saeson, unwaith, dorri clustiau pob Cymro a fyddai i'r dwyrain o'r clawdd a'r Cymry, wedyn, yn crogi pob Sais a fyddai'n crwydro i'r gorllewin ohono. (Buom ni ein dau yn ddigon diogel, er 'gwyro weithiau ar y dde, ac ar yr aswy law'.) Mae'r llwybr yn ymestyn o Greigiau Sedbury, sydd am yr afon â Bryste yn y de, nes cyrraedd y darn llwybr penfeddw hwnnw sy'n disgyn i lan y môr ym Mhrestatyn. Weithiau, roedd y llwybr yn rhedeg yn gyfochrog â'r Clawdd, yna yn ei groesi ar dro, cyn ei groesi'n ôl drachefn.

I ni, bu'r daith yn llawer hwy na'r 177 milltir swyddogol. Ambell dro, wedi diwrnod hirfaith o gerdded, byddai yna ddwy neu dair arall wedyn i gyrraedd ein llety am y noson, a'r un pellter at yn ôl fore trannoeth. A hithau'r nawfed neu'r degfed diwrnod, a ninnau yn hamddena cerdded gwastatir Dyffryn Hafren, mae gen i gof am ffarmwr yn ein cam-gyfarwyddo, yn fwriadol, am fod y llwybr swyddogol yn croesi ei dir a cherddwyr, fel ni, yn llwydo'i borfa. Fe ychwanegodd hynny filltiroedd lawer at y daith y bwriadwyd ei cherdded y dydd hwnnw.

WS — THE HERALD, MAY 15, 1998 — 21

Helping hand: Charity raises £2,500

Cash injection: Gwenda Pritchard hands over the cheque to Hywel Roberts, watched by Rev Harri Parri, Bob Williams and Ceridwen Williams. (98 5 AR 238 4)

Push button pain killer

By NEVILLE JONES

A FRIGHT can affect people in different ways - sometimes even leading to magnificent efforts for others.

Bob Williams got the shock of his life a year ago when severe pains were diagnosed as cancer of the bowel.

Bob, of 24 Llys Gwyn, Caernarfon, said: "The help I received at Ysbyty Gwynedd's Alaw Ward pulled me through.

"That's where I first came across the ambulatory syringe driver, a device which delivers pain-killing morphine at the push of a button."

An operation cured Bob, 71, but after being allowed home another shock changed his life.

"I collapsed on Boxing Day," he said. "It was just the after-effects of chemotherapy, but it persuaded me to help others facing similar crises."

Bob decided to buy a syringe driver, costing £1,000, for Alaw Ward.

In a meeting at Seilo Chapel, his friend Bobby Haines became chairman of Help Llaw, to raise funds.

"I've worked with Bob Williams before on charity campaigns, he is a tireless worker for good cause," said Mr Haines.

Bob's plans were recently changed when he asked Newborough Arms, Bontnewydd for a donation.

"I was amazed when manageress Gwenda Pritchard made a quick phone call, then offered me £1,000."

Gwenda said: "We'd collected money for worthy causes over the winter through various activities. I thought this appeal was particularly worthwhile, as cancer affects all families."

Help Llaw has to date collected around £2,500.

"We now aim to buy five or six syringe drivers for Alaw Ward's new haematology unit," said Mr Williams.

Anyone wishing to help should contact Hywel Roberts on (01286) 676602, or Ceridwen Williams on (01286) 676642.

PAIN RELIEF

- The syringe driver rests on the patient's chest, and he can receive an infusion of morphine by pressing a button.
- The syringe can be set to release safe, periodic infusions.
- There is no off switch on the syringe, to prevent accidental switch off during use.

Toriad o'r *Caernarfon and Denbigh Herald*,15 Mai 1998. Yn y canol Bob Williams a gododd arian i Ysbyty Gwynedd – gyda chefnogaeth eglwysi a phobl y dref – i ddiolch am adferiad iechyd.

Cŵn oedd yr ofn i Erfyl, yr Alsesian yn arbennig. Mae gen i gof i ni gyfarfod tri yn ystod y bererindod, pob un wrth dennyn a phob un yn ddigon rhadlon ei ysbryd. Mewn cymhariaeth, teirw fyddai'n peri pryder i mi. Yn ystod fy mlynyddoedd yn Uwchaled roedd yna ffarmwr o'r fro wedi ei ladd gan darw un

'Intrepid ministers' oedd disgrifiad y *Caernarfon Herald*.

ben bore. A hynny, hyd y cofiaf, am iddo beidio â mynd â'r ci i'w ganlyn i gyrchu'r fuches i'w godro. Y bore Sul cyntaf, a ninnau'n cerdded drwy drwch o niwl, ar hyd darn o dir agored bu bron i mi faglu ar draws un. Roedd o'n lled-orwedd yn y mwrllwch a'r fodrwy yn amlwg yn ei ffroen. Anodd cofio prun ohonom, y fi neu'r tarw, a gafodd y braw mwyaf. Yn wir, roedd rhybudd am leoliad teirw, a'r peryglon, ar rai o'r mapiau. O gyfri pennau eto, un tarw ar ddeg y bu i ni gerdded drwy eu cynefinoedd, yn ddiwrthwynebiad.

Does dim gofod i mi gofnodi holl anturiaethau'r daith. Bu'n gyfle i gwmnïa a rhannu profiadau, i gellwair a thrafod y Ffydd, i ddysgu daearyddiaeth y gwahanol fröydd – heb sôn am rannu profiadau ar lefel mwy personol a dyfnhau cyfeillgarwch yr oedd iddo ddyfnder yn barod. Wedi pedwar diwrnod ar ddeg o gerdded daeth tyrfa o ffrindiau i derfyn y llwybr i'n croesawu'n ôl.

'Intrepid ministers' oedd disgrifiad y *Caernarfon Herald* wedi i ni ddychwelyd – gormodiaith eto'n ddiamau – a threfnwyd math o groeso trefol ar ein cyfer. Bu'n gyfle i ninnau ddiolch i bobl y dref, a thu hwnt, am y fath gefnogaeth. Roedd hi'n wyrth i ni'n dau ddychwelyd heb na chaethiwed gwynt na chyrn ar draed. Bu'r digonedd o ymarfer ymlaen llaw yn gymorth rhag hynny, mae'n debyg. Y wyrth fwyaf, serch hynny, oedd i Ysbyty Bryn Seiont fod ddeng mil o bunnoedd ar ei ennill ac i Uned Macmillan gael ei helaethu.

Ar yr awyr ac ar y sgrin

Darlledwyd a theledwyd cryn ddeunydd o Seilo dros y blynyddoedd, yn arbennig felly yn ystod y blynyddoedd cynnar. Yn ogystal, bu mynych ddefnyddio ar gyfleusterau'r theatr gan wahanol gwmnïau radio a theledu i greu rhaglenni cyn dyfod gwell ac amgenach cyfleoedd iddyn nhw.

Pasiant Nadolig cyntaf plant Ysgol Sul Seilo ar lwyfan y Theatr newydd, Nadolig 1977.

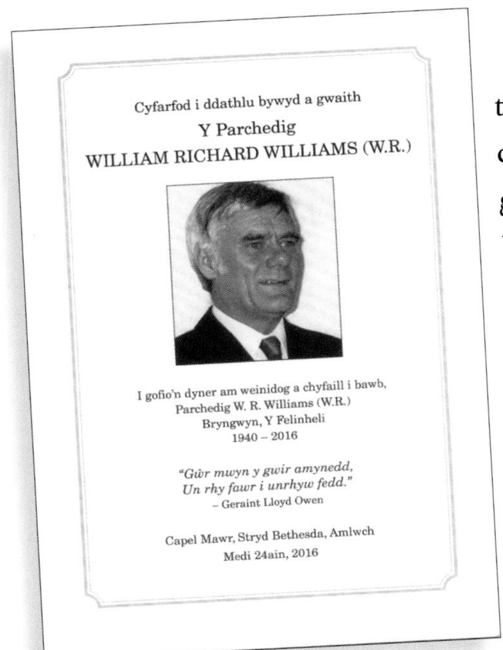
Cyfarfod i ddathlu bywyd a gwaith
Y Parchedig
WILLIAM RICHARD WILLIAMS (W.R.)

I gofio'n dyner am weinidog a chyfaill i bawb,
Parchedig W. R. Williams (W.R.)
Bryngwyn, Y Felinheli
1940 – 2016

"Gŵr mwyn y gwir amynedd,
Un rhy fawr i unrhyw fedd."
– Geraint Lloyd Owen

Capel Mawr, Stryd Bethesda, Amlwch
Medi 24ain, 2016

Y direidi braf a'r anwyldeb mawr *yn* y wên, a'r Capel Mawr ar noson dathlu ei fywyd yn rhwydd lawn.

Cyn belled ag yr oedd bywyd a thystiolaeth yr eglwys yn y cwestiwn caed sawl cyfle i rannu addoliad gyda gwylwyr a gwrandawyr fel ei gilydd. Wrth bori yn hen rifynnau'r *Bont*, diddorol oedd darganfod a darllen a ganlyn: 'Recordiwyd y gwasanaeth bore Sul ar gyfer ei ddarlledu. Roedd yn wasanaeth arbennig iawn gan y gweinyddwyd y sacrament o fedydd am y tro cyntaf ar y radio.' Bûm yn meddwl, beth petai'r oedfa fedydd honno yn cael ei theledu? Go brin y byddwn i wedi mentro ar y cyfle.

Am 40 mlynedd a rhagor, bûm yn darlledu myfyrdodau ar Radio Cymru ben bore. Gyda'r blynyddoedd, newidiodd yr eitem o ran hyd ac o ran ei henw. Recordio'r deunydd wythnos ymlaen llaw oedd y drefn ar y dechrau a darlledu yn fyw yn llawer mwy diweddar. Doedd codi sgwarnogod yn fwriadol ddim yn hobi i mi, er i fwy nag un godi efo'r blynyddoedd, ond bu'n gyfle i danlinellu pethau a ystyriwn yn werthfawr a thalu teyrnged i ambell un a edmygwn.

Bnawn ddoe, mi gollais i un o'r cyfeillon hyfrytaf ges i: Wil, 'Dybliw Âr' i amryw. Y Parchedig W. R. Williams ar ddogfennau swyddogol yr enwad. Yn ystod wythnosau'r machlud hir mi gafodd ofal brenin gan Menna a'r plant, Deiniol ac Elin, a chan deulu a ffrindiau.

Fyddwn innau'n picio draw, yn ddyddiol bron. Wyth munud o daith oedd hi. Wedi deugain mlynedd o gyfeillgarwch, be oedd hynny?

'Gwranda,' medda fo – yn ymwybodol o'r sgôr ers misoedd – 'fydd dim isio i neb fy nghanmol i, cofia.' A dyna pam dw i yn gneud bore 'ma. Dyna pam mae cynifer wedi gwneud yn barod. Gostyngeiddrwydd oedd ei fforte fo. Gor-ostyngeiddrwydd, os ydi hynny'n bosibl. I ddyfynnu adnod, 'gan dybied eraill yn well nag ef ei hun' – bob amser.

A'i ffydd cynhaliodd o. Ffydd dlawd ydi fy ffydd i. Mi fydda i'n edmygu – neu'n amau – rhai'n morio canu mewn angladdau:

A phan ddaw braw yr alwad fawr i'm rhan
A'r cryfaf rai o'm hamgylch oll yn wan,
Nid ofnaf ddim ...

Darllen y Gwynfydau iddo fo, ar ei gais, oedd y peth olaf. '*Gwyn eu byd y rhai addfwyn*. Fedra i dicio'r bocs yn fan'na, Wil?' Yntau'n sibrwd, 'Na.' '*Gwyn eu byd y rhai pur o galon ... Gwyn eu byd y tangnefeddwyr*. Fydda chdi ddim yn chwythu ffiws yn amal?' A dyna chwythiad o chwerthin, fel bydda fo – yr olaf i mi glywed – a'r wên na phylith amser. I ddyfynnu esgyll englyn William Morris i Tom Nefyn, *one-off* arall:

'Ac o'i bregethau i gyd / Y fwyaf oedd ei fywyd.'

— *Munud i Feddwl*, 5 Medi 2016

‘Chwifiwn ein baneri yn yr awel iach’

Erfyl Blainey, unwaith eto, a agorodd y ffordd i bobl ifanc Seilo gael mynd i Lundain, fwy nag unwaith, i’r MAYC, sef rali flynyddol clybiau ieuenctid yr Eglwys Fethodistaidd – The Methodist Association of Youth Clubs. Unwaith, anfonodd un o’r pererinion ifanc, Gwenda Jones, adroddiad lliwgar at Olygydd *Y Goleuad* a mentrais innau gyhoeddi detholiad ohono:

> ‘Chwifio eu baneri yn yr awel iach’ fu hanes dros ddeuddeng mil o ieuenctid yn ninas Llundain rhyw dair wythnos yn ôl. Ddiwedd Mai, aeth pobl ifanc o Eglwys Seilo, gyda phobl ifanc o Eglwys Ebeneser, yno i rali flynyddol clybiau ieuenctid yr Eglwys Fethodistaidd. Ia, chwifio baneri, canu cyrn, chwibanu, gweiddi – holl frwdfrydedd arferol y maes pêl-droed yn ei amlygu’i hun yno. Deuddeng mil a mwy o ieuenctid yn ceisio deffro’r ddinas i sylweddoli ystyr y ‘bywyd gwirioneddol’ yng Nghrist Iesu [thema’r bwrw Sul]. Cyrraedd pen ein taith a setlo am y noson yn Eglwys Chiltern Street. Profi o letygarwch a charedigrwydd aelodau’r eglwys honno, ac yn sicr elwa o’n cymdeithasu cyfeillgar â’n gilydd. Pawb yn ffrindiau

Dosbarth Ysgol Sul y Merched – Dosbarth Emyr Thomas – wedi ymsefydlu yn yr adeilad newydd a'r gweinidog newydd wedi cael gwahoddiad i'r tynnu llun.

mawr o'r noson gyntaf. Uchafbwyntiau'r penwythnos oedd y tri chyfarfod mawr: y 'sioe' pnawn Sadwrn a'r gwasanaeth fore Sul, y naill a'r llall yn yr Albert Hall, ac yna'r rali yn Sgwâr Trafalgar ar y pnawn Sul i ddod â'r penwythnos i ben. Tri chyfarfod bendithiol, lliwgar a graenus, gyda'r brwdfrydedd a'r llawenydd Cristnogol yn amlwg ymhob un ohonynt. Amhosibl fyddai imi geisio disgrifio'r digwyddiadau hyn yn eu crynswth; gwell, efallai, fyddai imi nodi rhai pethau a adawodd argraff arna' i yn bersonol. Ambell i eitem yn y 'sioe'. Anghofia i fyth gyfraniad clwb ieuenctid Stafford. Actio llong fawr, 'llong y bywyd

> gwirioneddol', yn hwylio'n ara' deg bach, trwy'r tywyllwch a chôr disgybledig yn canu yn y cefndir, 'We are sailing'. Yna'r gwasanaeth fore Sul; deuddeng mil o bobl ifanc yn addoli, deuddeng mil yn torri bara, a deuddeng mil yn canu clod i'r Arglwydd. Yr un nifer a mwy wedyn yn llenwi Sgwâr Trafalgar, yn canu ac yn chwifio baneri dros Iesu Grist.

I enwad a fu'n gymaint gwrthwynebydd i'r ddrama ganrif a hanner ynghynt, roedd hyn yn gryn newid awyrgylch.

Pan oedd cyfleoedd yn cynnig eu hunain bu'r syniad o fynd â'r eglwys leol allan i gerdded – yn llythrennol felly – yn apelio ataf. Roedd o'n gyfle i'r gymdeithas weld ein bod ni ar waith o hyd ac i ninnau sylweddoli ein bod ni'n rhan o'r gymdeithas honno. Yn gyfle hefyd i bobl ifanc gymdeithasu â'i gilydd yn enw'r Eglwys, boed hynny ar hyd palmentydd tref neu ddinas neu ar hyd cefnffyrdd cefn gwlad. Wrth gwrs, roedd gan ddyn ei hoff gerddedfeydd.

Pan gyrhaeddais Gaernarfon roedd Theatr Seilo yn newydd danlli; y llwyfan heb ei gerdded, y goleuadau heb eu codi unwaith a'r offer sain erioed wedi ei danio. Roedd y theatr i fod yn fan perfformio i'r dref ac i'r gymdeithas yn gyffredinol. Mi wyddwn i hynny. Ond, o ran y bwriad i'w chodi, roedd hi hefyd i fod yn gyfrwng cyfoes at wasanaeth yr eglwys ei hun. I un a faged mewn capel heb festri, na fu erioed hyd yn oed yn fugail mewn drama Dolig, 'pa le, pa fodd, dechreuaf' oedd hi.

Gwanwyn 1977 penderfynodd Sasiwn y Gogledd, a oedd yn beiriant pwerus bryd hynny, 'eistedd' yng Nghaernarfon a rhoi her i aelodau eglwysi Presbyteraidd y dref roi perfformiad yn y theatr newydd. Byddai popeth wedi ei baratoi ar ein cyfer. ('Trefnyddion Calfinaidd' oedd llysenw'r enwad unwaith.) A hithau'n ganmlwyddiant ei eni, rhaglen am fywyd a gwaith Ieuan Gwyllt, y pregethwr a'r cerddor, a fyddai'r thema a'r Parch. Harri Williams – gweinidog, athro, llenor a cherddor – i baratoi'r sgript. Trefnwyd i'r actores a'r cynhyrchydd profiadol, Elen Roger Jones, ddod atom i'n cyfarwyddo. I enwad a fu'n gymaint gwrthwynebydd i'r ddrama ganrif a hanner ynghynt, roedd hyn yn gryn newid awyrgylch. Roedd actio, yn ôl y Gyffes Ffydd, yn yr un dosbarth â 'dawnsiau, gloddesta, cyfeddach, diota a'r cyffelyb'.

Rhai o'r plant oedd yn perfformio yn *Caned Pawb*, y pasiant cyntaf i'w berfformio yn Theatr Seilo, yng ngwanwyn 1977. Yn y canol, Sioned Clwyd Jones (Williams bryd hynny) fu'n dirprwyo i mi o hynny ymlaen hyd 2009.

Yn y Canol Oesoedd roedd hi'n arfer dramateiddio hanesion Beiblaidd, dramâu miragl yn un enghraifft. Fodd bynnag, gyda thwf Piwritaniaeth ac yna'r Diwygiad Methodistaidd fe erlidiwyd y ddrama i'r priffyrdd a'r caeau – er i'r anterliwt oroesi. Y penllanw, o bosibl, oedd penderfyniad Sasiwn Corwen yn 1887 i gondemnio Cwmni Drama Trefriw am berfformio addasiad llwyfan o *Rhys Lewis* a lladd eu cynulleidfa. Yr eironi ydi mai pregethwyr mawr y cyfnod a gadwodd y ddrama'n fyw a'i hailwresogi: John Elias yn gwerthu'r meddwon, 'Pwy a'u cymer nhw?' neu Matthews Ewenni yn cludo'r ddafad golledig (y Beibl) ar ei gefn ac meddai llais o'r seddau, ''Na fe wedi'i chael hi!' Meddai Charles Dickens, ar ôl gwrando ar Owen Thomas, Lerpwl, pregethwr o fri mewn Sasiwn ym Mangor, ond heb ddeall ond un gair, 'Charlmers', ac enw person oedd hwnnw, 'I could not tear myself away from the spot till the sermon was over.'

Ar y dechrau, doedd gan neb ohonom fawr o syniad sut i drin yr offer costus. A pheth arall, a oedd yna ymhlith aelodau'r eglwysi – Biwla, Engedi a'r Seilo newydd – actorion posibl? Bu'r pasiant hwnnw, *Caned Pawb*, yn ôl yr adroddiad yn *Y Cymro* beth bynnag, yn 'llwyddiant ysgubol'. O leiaf, fe sylweddolais i un peth, fod yn perthyn i'r capeli dalentau lu, bod yna 'galon i weithio' ac y dylwn innau fwrw prentisiaeth. Yn ogystal, roedd yna syched amlwg i ni roi perfformiad arall.

Elen Roger Jones yng nghanol y rhes flaen, a'r tîm fu'n trefnu, goruchwylio a chynhyrchu'r pasiantau cynharaf.

Oherwydd bod y llwyfan yn un mor eithriadol o eang a bod yna nifer o wahanol oedrannau yn barod i berfformio disgynnwyd ar y syniad o basiant a pherfformio un, os byddai llwyddiant, yn flynyddol. Buom mor ffyddiog â rhoi ar bapur mai'r bwriad oedd dathlu ein treftadaeth yn grefyddol a diwylliannol drwy gyfrwng y llwyfan. Bedyddiwyd y cwmni â'r enw 'Cymdeithas y Gronyn Gwenith' gyda'r gobaith y byddai'r hedyn a heuwyd yn tyfu, peth.

Cywaith pump ohonom, yn cynnwys Elen Roger Jones – a fu'n gynhyrchydd sawl pasiant ym Môn cyn hyn – oedd *Y Golau Ni Ddiffydd* a lwyfannwyd y mis Ebrill dilynol. Yn ôl *Y Cymro* unwaith eto: 'Roedd Theatr Capel Seilo, Caernarfon, yn llawn at y drws drwy'r wythnos diwethaf pan lwyfannwyd pasiant

Roedd y Parchedig Emrys Thomas fel petai wedi ei eni ar gyfer llwyfan. Yma, fel John Williams, Brynsiencyn yn *Yr Utgorn Arian* gyda Richard Humphreys Jones yn portreadu milwr ifanc . . .

uchelgeisiol gan aelodau capeli Presbyteraidd y dref yn adrodd hanes crefydd yng Nghaernarfon drwy'r oesoedd. Daeth llond bysiau o bobl o lefydd mor bell â'r Bala, y Rhyl, Dolgellau ac o bob rhan o Wynedd i weld y pasiant a oedd â chast o yn agos i gant o bobl.' Anodd coelio, ond yn fuan iawn daeth to o blant, ieuenctid ac oedolion – amryw na fu erioed ar lwyfan

– yn actorion hyderus. Yr un modd, meithrinwyd, heb yn wybod megis, dîm o gynhyrchwyr, technegwyr a chefnogwyr a fu'n gymaint caffaeliad i'r cwmni gydol y blynyddoedd – heb ddisgwyl unrhyw dâl. Dros y blynyddoedd cynhyrchwyd a pherfformiwyd dros 30 o basiantau i gyd. Un peth y bûm yn ei danlinellu gydol y cyfnod oedd mai amaturiaid oedd pawb ohonom ac mai felly y dylid ystyried ein gweithgarwch bob amser.

. . . Ac yn storŵr heb ei ail.

Yn fwy aml na pheidio, byddai'n rhaid hurio dilladau a chelfi ar gyfer gwahanol gyfnodau, dylunio'r set, heb sôn am yr hysbysebu a'r marchnata. A beth am y stiwardio yn ystod yr wythnos, tu mewn a thu allan i'r theatr, a'r byseidiau am gyrraedd ac ymadael yr un pryd â'i gilydd? Yn wir, am rai blynyddoedd bu'n arfer mynd â'r pasiantau ar daith, ond gyda'r fath nifer a'r fath gruglwyth o gelfi ac offer aeth troi'r pasiant yn un symudol yn dasg rhy anodd.

Ar y dechrau un, comisiynu awduron profiadol oedd y drefn. Gyda'r blynyddoedd, bu tri o'n hactorion – Emyr Jones, Richard Parry Jones a W. Gwyn Lewis – yn gyfrifol, rhyngddynt, am hanner dwsin o sgriptiau. Mae'n bosibl mai *Gorau Cyfarwydd*, addasiad llwyfan Richard Parry Jones o waith Ifan Gruffydd, y 'Gŵr o Baradwys', a welodd y gynulleidfa fwyaf: bu wyth perfformiad ac argraffwyd 2,500 o docynnau. Fe oedais i hyd 1984 cyn sgwennu un o'r pasiantau er i mi gyfansoddi 25 neu ragor ohonyn nhw wedi hynny.

Roedd traean o'r deunydd yn bortreadau o bobl a adawodd eu marc ar y genedl, megis George M. Ll. Davies, *Rhyw Ymarferol Frawd*; T. Rowland Hughes, *Y Dewraf o'n Hawduron*; portread o Tom Nefyn neu'r *Gŵr o'r Pentref Gwyn*, stori Anthropos. Roedd rhai'n ffigurau sy'n llai adnabyddus erbyn hyn megis *Etholedig Arglwyddes*, hanes Catherine Edwards, Plas Nanhoron a saint y Capel Newydd. Cafodd digwyddiadau hanes gryn sylw, rhai yn berthnasol i Gaernarfon a'r cylch: *Y Babell Ddur*, stori'r Pafiliwn a *Bargen Dinorwig* a oedd yn bortread o fywyd y chwarelwr. Yna, *Pobl yr Haleliwia*, hanes Byddin yr Iachawdwriaeth yng nghylch Caernarfon a *Cyfaredd yr Unigeddau*, hanes yr ymfudo i Batagonia. Bu rhyfel a heddwch yn thema gyson: *O'r Bala i Balaclafa*, stori bywyd Betsi Cadwaladr, Nyrs y Crimea; *Yr Utgorn Arian*, portread o John Williams, Brynsiencyn a'r Rhyfel Mawr a *Pell y Wawr a'r Nos yn Hir*, stori bywyd David Ellis, y bardd a gollwyd. Addaswyd wyth o nofelau'n ogystal, yn weithiau Daniel Owen, T. Rowland Hughes, E. Tegla Davies, Marion Eames a Caradog Prichard. Wrth gwrs, fyddai hynny ddim wedi bod yn bosibl heb ewyllys da awduron a chyhoeddwyr.

Gyda'r blynyddoedd, i hwyluso ein parhad fel petai, trowyd arferion yn ganllawiau. Penderfynwyd mai chwe wythnos union fyddai hyd yr ymarferion: ddwywaith yr wythnos am y mis cyntaf a phedair gwaith yr wythnos yn ystod y pythefnos olaf. Fu erioed ddim promptio o gwr y llwyfan; pob un i ddod dros yr anghofio geiriau gorau posibl neu i'r sawl a oedd i ddilyn geisio neidio i'r adwy. Ein bod ni, serch ein haelodaeth o'r gwahanol gapeli, yn talu am fenthyg y theatr fel pawb arall. Yna, o berfformio am wythnos, neilltuo elw un perfformiad, o leiaf, at achos dyngarol.

Fu erioed ddim promptio o gwr y llwyfan. Rhaid oedd i bob un ddod dros yr anghofio geiriau y gorau fedrai . . .

Yn 2009, a minnau wedi hen ymddeol, penderfynwyd tynnu'r llenni gan gredu mai doeth oedd torri pethau yn eu blas. (Gwerthfawrogais yn fawr garedigrwydd y gweinidog a'm dilynodd, Gwenda Richards, yn ein hybu i ddal ati wedi iddi hi gyrraedd. Hi, o hynny ymlaen, fyddai'n bywiogi'r gynulleidfa ar ddechrau pob perfformiad gyda gair o groeso.) Penderfyniad y cwmni, nid y fi, oedd perfformio i gloi sgript yn seiliedig ar y straeon y bûm i'n eu sgwennu dros y blynyddoedd. *O Garreg Boeth i Borth yr Aur: Stori Bywyd Hanner Gweinidog* oedd y pasiant hwnnw a bu chwe noson o berfformio.

Bu gan Gymdeithas y Gronyn Gwenith, yn ogystal, blentyn maeth a Chwmni Theatr Seilo oedd

Elen Roger Jones; yr impresario rhyfeddol a'r wên na phylodd amser.

enw hwnnw. Fe'i cenhedlwyd i gyflwyno sioeau ychydig yn wahanol eu harddull, gyda chriw llai o actorion ac, o'r herwydd, yn haws i fynd ar grwydr. *O'r Hen Lyfr Cownt*, portread o Ann Thomas Dolwar – Ann Griffiths, yr emynyddes – oedd y sioe gyntaf, yn seiliedig ar gyfrol arobryn Rhiannon Davies Jones. Yn cael ei dilyn gan *Mi glywaf Dyner Lais*, yn trafod Ieuan Gwyllt a thonau Sankey, gyda Manon Llwyd yn gyfrifol am y gerddoriaeth yn y ddwy sioe fel ei gilydd. Wedi dadwreiddio'r Gronyn Gwenith goroesodd Cwmni Theatr Seilo hyd 2015 gan grwydro i berfformio mwy nag un sioe gomedi.

Roedd diolch pennaf y Gymdeithas gydol y blynyddoedd i'r rhai a deithiodd i Gaernarfon o bob rhan o ogledd Cymru, a thros y ffin, i wylio'r gwahanol sioeau – a hynny gydol y blynyddoedd. Yn ôl y cofnodion yn 1978, a'n sioe lawn gyntaf ni, megis, yn cael ei llwyfannu, 1,200 oedd nifer y tocynnau a werthwyd; 1,500 oedd y rhif yn 2009 adeg perfformiad olaf Cymdeithas y Gronyn Gwenith.

Impresario

Fel rhyw impresario y bydda i'n hoffi meddwl am Elen Roger yn nhermau'r theatr; ysgrifennais gyfrol

Y tîm coluro yn 1977 ac wrth ei waith am y waith gyntaf.

amdani yn 2000. Roedd ei gweld a'i chlywed hi yn cynhyrchu pasiant yn basiant ynddo'i hun. Gyda sêl ei bendith y ffurfiwyd Cymdeithas y Gronyn Gwenith gyda'r bwriad o lwyfannu pasiant blynyddol. Roedd briff o'r fath at ei dant. Fel y mynegodd hi yn ei 'hatgofion', roedd hi'n ymhyfrydu yn llwyddiant Cymdeithas oedd yn medru denu heb fod ymhell o ddwy fil o bobl i Theatr Seilo yn flynyddol.

Asgwrn cynnen ambell dro rhwng Elen Roger a'r criw – ar y dechrau yn arbennig –oedd amharodrwydd rhai actorion i ddysgu'u llinellau mewn da bryd: 'Ylwch, fedrwch chi ddim actio â

W. Bleddyn Williams, a enwogodd ei hun fel y 'Co Bach' yn y pasiantau, a blaenor selog yn Seilo er 1959.

sgript yn eich llaw, fel ci wrth dennyn. Ma'n rhaid i actor gael rhyddid.' Mae gen i gof am sgôl o'r fath yn nyddiau cynnar Cymdeithas y Gronyn Gwenith. Ffarmwr prysur iawn oedd y diweddar Robert Jones, Hendy, yn 'gorwedd gyda'r hwyr ac yn codi gyda'r wawr', wedi'i gonsgriptio i lenwi bwlch a llefaru rhyw ddwsin o linellau. Roedd ei fab o, Aled, yn chwarae'r prif gymeriad ac yn gwybod ei waith yn drwyadl o'r ymarferion cyntaf ymlaen.

A Robat, wedi prysurdeb y dydd, yn gwybod yr un lein, 'Y mae ...'

'Wel a'n gwaredo. Triwch eto, 'ngwas i!'

'Ac wele ...'

Hithau'n rhoi pwniad i mi, fel byddai hi, 'Be' ydi enw'r dyn 'na, deudwch?' (Gyda chast anferth roedd hi'n anodd iawn iddi roi enw i bob wyneb.)

'Robat Jones.'

'Ydi o'n dad cyfreithlon i'r hogyn 'na?'

'M ... Ydi.'

'Wel, sobrwydd mawr!' Yna, codi'i llais a'i gyfeirio at y llwyfan. 'Robat Jones, wyddoch chi be ydi cywilydd?'

Canmol y byddai hi'n ddi-feth . . .

'M ... sut?'

'Yr hogyn 'na s'gynnoch chi, digon o ryfeddod, wedi dysgu pob lein. Deuddag lein s'gynnoch chi i gyd. Dysgwch nhw!'

Wedi i ni ddechrau teimlo'n traed, a hithau wedi gadael, arhosodd yn gefn i'r Gymdeithas gydol y blynyddoedd gan ddod i wylio'r perfformiad blynyddol yn ddeddfol, gyson, hyd nes iddi fynd i fethu. Byddai sedd arbennig wedi ei neilltuo ar ei chyfer, mewn man strategol; mae impresario'n disgwyl cymaint â hynny. Diddorol fyddai'i gwylio – o ddiogelwch y stafell reoli yn yr uchelderau – yn ei dwbl braidd, yn yfed pob diferyn o'r pasiant; yn nodio'i phen yn gefnogol os oedd y chwarae wrth ei bodd, ond yn ei ysgwyd mewn mawr dristwch pan fyddai rheolau yn cael eu torri.

Canmol y byddai hi'n ddi-feth, os na fyddai rhyw

danchwa fawr wedi digwydd. Ychydig o wyngalch i ddechrau: 'Mi 'neuthoch yn wyrthiol, do wir. Pwy fasa'n meddwl? ... Pwy o'dd yn actio ...?' Y llygaid barcud yn disgyn arno fo, neu hi, 'Chi 'te, 'ngwas i? Wel, digon o ryfeddod.' Yna, fe giliai'r wên ac fe ddeuai cuwch i'r wyneb, 'Mae'n rhaid i mi gael deud hyn. Wn i ddim sut i ddeud o chwaith.' Yna, y llygaid llymion yn chwilio'r llwyfan cyn eu serio ar un actor neu actores a oedd wedi cymhlethu pethau i bawb arall. 'Rŵan, y chi. Dw i ddim yn cofio'ch enw chi, chwaith.' Wedyn newid tiwn, bwriadol. Taflu gwên fel heulwen at bawb, yn gyffredinol. 'Wrth gwrs, ma' nos fory gynnon ni eto, i wella pethau 'te!'

Peth braf y dyddiau hyn yw cyrraedd theatr Gymreig hanner awr yn gynnar a chael trafferth parcio. Gwyddoch eich bod am gael gwledd o weld myrdd o fysiau yn dadlwytho'r gynulleidfa. Yn rhy aml o lawer, ni sy'n mynd ar fysiau i Gaer, Manceinion a Llundain i weld sioeau. Peth braf yw gweld y drafnidiaeth yn mynd i'r cyfeiriad arall, a phobl o Loegr yn dod atom ni am noson o adloniant. O gymryd ein lle yn y rhes flaen (am mai dyma'r unig fan oedd ar ôl) gwelsom y tair rhes tu ôl i ni wedi cael eu neilltuo i fws o Fanceinion. Nid un o theatrau mawr Cymru oedd hon mewn tref brifysgol, nid sioe ar gyfer y teledu ychwaith. Nid un o gwmnïau drama proffesiynol Cymru oedd ar y llwyfan, ac nid oedd yn rhan o raglen a noddwyd gan Gymdeithas y Celfyddydau. Digon yw dweud mai un o ddramâu Harri Parri ydoedd ar gyfer Cymdeithas y Gronyn Gwenith, a champwaith arall eto fyth i ymddangos ar lwyfan Theatr Seilo, Caernarfon. (Angharad Tomos yn *Yr Herald Cymraeg*, 12 Ebrill 2006, wedi gwylio *Pell y Wawr a'r Nos yn Hir*, portread llwyfan o David Ellis, mab Penyfed, Llangwm, y 'bardd a gollwyd')

I Oberammergau

Pan oedd 1980 ar wawrio dyma hau'r syniad y byddai'n beth da i ni fel eglwys gyrchu tuag Oberammergau ym Mafaria – talaith yn ne-ddwyrain yr Almaen, ar y ffin rhwng Liechtenstein, Awstria a'r Weriniaeth Tsiec – i weld Drama'r Dioddefaint a berfformir yno ar ddechrau pob degawd. Clywodd pobl y Bala – aelodau yng Nghapel Tegid yn bennaf – am ein bwriad ni, a'r un oedd eu bwriad hwythau, a phenderfynwyd ein bod ni'n cyd-deithio; tri llond bws fu hi yn y diwedd ac yn agos i 150 o bererinion. Wedi dychwelyd, cyhoeddodd un o'n haelodau, Helen Jones, adolygiad yn *Y Bont* o'r ddrama a welwyd a'r wefr a gafwyd o'i gwylio:

Criw'r Clwb Teithio ar ei ffordd adref o Oberammergau, haf 1984.

'Profiad pleserus oedd cyrchu ymhlith y dyrfa ar fore heulog ar hyd strydoedd lliwgar a glân pentref prydferth Oberammergau, ar ael y Kaufel, a thua'r Pafiliwn mawr. Er bod y gwylwyr dan do, roedd y llwyfan yn agored i'r elfennau a'r actorion yn perfformio yn yr awyr agored. Gorchwyl go anodd mewn tywydd anffafriol. Y bore yma roedd yr amgylchiadau yn berffaith gyda gwenoliaid yn hedfan i mewn ac allan yn chwim a gosgeiddig.

Dibynnai'r cynhyrchydd ar oleuni naturiol i gyfleu effeithiau llwyfan. I'r chwith o'r llwyfan lleolwyd porth tŷ Peilat, ac i'r dde roedd porth tŷ

Caiaffas. Drwy'r perfformiad, fwy neu lai, roedd y ddau safle yng nghysgod haul ac yma yn y cysgodion y gwelwyd y cynllwynio, y twyll a'r brad. Roedd canol y llwyfan yn mwynhau llewyrch yr haul yn barhaus ac yma y gwelwyd Iesu amlaf.

Cafwyd cyflwyniad hyfryd o Pedr, yn ymddangos beth yn hynach na'r gweddill o'r disgyblion, a thrwy hynny yn cyfleu cymeriad tadol braidd. Roedd perfformiad yr actor o gymeriad Jwdas yn dra effeithiol. Llais Mair, mam yr Iesu, oedd yn goreuro ei pherfformiad hi, yn llawn ing a phryder.

Croes draddodiadol ger y Pilatushaus, Oberammergau

Ar wahân i hyn i gyd, byddwn yn cofio yn hir am y teithio, milltiroedd mewn diwrnod, am y ffair yn Mrwsel a'r tair merch fentrus o Gaernarfon ar ben yr olwyn fawr; am y fordaith bleserus ar yr afon Rhein a'r hwylio ar Lyn Lucerne; nid anghofir chwaith y 'cofis colledig' ar Strydoedd Oberammergau yn hwyr yn y nos, na'r canu cynulleidfaol grymus ar y sgwâr. 'The light of our tour' oedd tystiolaeth nifer o Americanwyr a oedd yn gwrando arnom.'

Er 1634, bu'n arfer gan rai o drigolion Oberammergau, pentref mynyddig ym Mafaria, berfformio 'drama'r dioddefaint' yn ddiolchgarwch am gael eu harbed o afiechyd y pla du. Deunydd y ddrama'n bennaf ydi stori bywyd Iesu, o adeg ei ymweliad olaf â Jerwsalem hyd y croeshoeliad. Bu peth beirniadu o dro i dro fod y deunydd mewn mannau yn wrth-semitig ond eto goroesodd hon bob drama arall debyg. Bob degawd, rhwng canol Mai a dechrau Hydref, daw pobl i'w gwylio o bedwar ban byd – yn rhifo, yn arferol, rywle rhwng 400,000 a 500,000 – a'r perfformiad ei hun yn bum awr o hyd gyda thoriad yn y canol. Yn 1984 roedd perfformiadau yn Oberammergau i ddathlu'r tri chan mlynedd a hanner. Penderfynwyd ein bod ni'n ailymweld. Gan hynny, yn Awst 1983, wrth ein bod ni fel teulu yn Ewrop ar wyliau, penderfynwyd gyrru bob cam o Awstria i bentref Omerammergau i weld a oedd hi'n bosibl archebu tocynnau ymlaen llaw. Byddai teithio yno efo'n cwmni bysys lleol yn bosibl wedyn ac felly haneru'r gost. Ond siwrnai ddigon peryglus fu honno, yn ôl a blaen. Drwy dir neb, ein gwirio i groesi math o ffin ac ymlaen drwy leoedd unig, ac ar hyd ffyrdd enbyd iawn. A siwrnai seithug fu hi yn y diwedd serch pob addewid. Roedd y cwmnïau mawr wedi bachu pob tocyn hydoedd ymlaen llaw ac ar eu helw o lwyddo i wneud hynny.

Ar deithiau efo'r Clwb Teithio

Taith wedi ei chynllunio ar gyfer pawb fel ei gilydd oedd y daith gyntaf honno i Oberammergau; yn cynnig gwyliau heb ofalon. (Er nad felly y bu pethau gydol y daith.) Yr *au pair* fyddai'n penderfynu, mwy neu lai, pryd oedd pawb i godi a phryd oedd pawb i fynd i gysgu, 'breakfast at half past seven, we leave at ten past eight.' Trefnu, wedyn, pa ryfeddodau i fynd i'w gweld a pha ddigwyddiadau i'w mynychu, 'I have your tickets here, for you to collect.' A pha amser yn union i gamu'n ôl i'r bws, 'or we'll go without you'.

Am mai 'pobol capal' oeddem ni ceid ysbeidiau o addoli naill ai ar y bws wrth deithio neu mewn cwr o'r gwesty.

Roedd, ac y mae, i wyliau catrodol fel yna ei fawr fanteision. Fodd bynnag, wedi dychwelyd, penderfynwyd ffurfio Clwb Teithio a threfnu gwyliau mwy hamddenol o hynny ymlaen; math o lunio'r wadn fel bo'r troed ond wrth gwrs dewis y mannau aros a threfnu'r cludiant. Caed cwmni lleol i'n cludo gartref a thramor.

Teuluoedd neu gyfeillion fyddai amryw a phlant a phobl ifanc yno gyda'u ffrindiau. Min nos ceid chwaraeon, steddfodau, sgyrsiau a nosweithiau llawen. Fel honno yng Ngwesty'r Central yn Nantes a'r canu Cymraeg, hwyliog yn peri i'r porter anfon cais – ar ran y gwesteion eraill – am i ni ganu 'Cytgan y Caethweision'. Nid y byddai hynny wedi bod yn bosibl! Yna, am mai 'pobol capal' oeddem ni – am

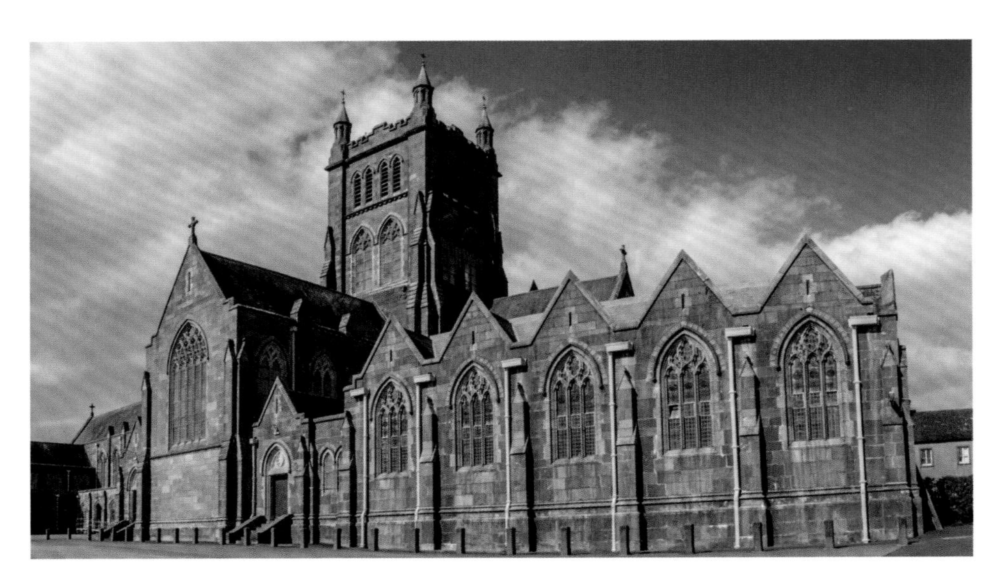

Mount Melleray Abbey, Swydd Waterford

ein gwerth felly – ceid ysbeidiau o addoli naill ai ar y bws wrth deithio neu mewn cwr o'r gwesty. Ar ben grisiau'r gwesty oedd hi yn Lucerne un bore Sul a munudau o addoli o dan haul braf yng ngardd y gwesty yn Treviso ger Fenis dro arall.

Yr awr ddwysaf o ddigon oedd cyrraedd yn ôl i Gravesend, un tro, i glywed y newydd trist fod Sally – ei gŵr hi, Bleddyn, yn Ysgrifennydd yr eglwys – wedi colli'r dydd, ar ôl dioddef hir a hithau ond newydd droi ei hanner cant. Byddai'r ddau, a Delyth y ferch, efo ni ar y daith petai'r amgylchiadau'n wahanol. Cynhaliwyd cyfarfod yn y gwesty i gofio ac i ddiolch am ei bywyd da a hynny'n union wedi'r pryd min nos.

Y mynach duwiolfrydig, gyda het fenthyg, yn diddanu ymwelwyr â'r Abaty –Americanwyr, mae'n debyg.

Yn naturiol, byddai'r annisgwyl a'r doniol yn digwydd. Ymweld ag Abaty Mount Mellerey yn Cappoquin – man cyfarwydd i ni fel teulu – a'r Mynachod Gwynion, chwarae teg iddyn nhw, wedi paratoi te pnawn ar ein cyfer. Bryd hynny, doedd dim mynediad i ferched i'r abaty ei hun nac i gefn yr adeilad. Heb yn wybod, wedi paned, aeth Mair Parry, Bodrual – gwraig ffarm gyda'r hyfrytaf ei gwên – i gael golwg ar y stoc. Golygfa ddoniol oedd gweld dau fynach oedrannus, mewn ystad o banig, yn ei hysio tuag yn ôl trwy ysgwyd godreon eu gwenwisgoedd – fel petai hi'n ddafad wedi neidio clawdd terfyn. Iddyn nhw, dyna oedd hi. Y tro dwytha y bûm i yn Mount Mellerey mae'r abaty bellach yn safle gwely a

Ffarwelio â'r Tad Bon wedi sgwrs ddwys. Bu farw'n heddychlon, 4 Ebrill 2018, yn 95 mlwydd oed; ei ddireidi, ei ddoniolwch a'i dduwioldeb yn heintus.

brecwast – i wragedd a dynion fel ei gilydd.

Pan oedd yr Wythdegau'n carlamu ymlaen roedd y Clwb Teithio'n dechrau colli ei apêl. Yn un peth, roedd cwmnïau proffesiynol yn medru cynnig gwell bargeinion a gwyliau mwy egsotig. Ac erbyn hynny roedd hedfan o faes awyr Manceinion neu un Lerpwl yn hwylus ddigon ac asiant wrth law yng Nghaernarfon i drefnu'r cyfan. A pheth arall, o'r dechrau un bu gennyf beth anniddigrwydd am fod y cyfan, o orfod, yn tanlinellu gwahaniaeth dosbarth. Doedd y gwyliau byth o fewn cyrraedd pawb yn y capel.

O gadw heddwch i gyhoeddi heddwch

Fel hyn yr ysgrifennais wrth gyfarch yr aelodau ar ddiwedd 1989: 'Roedd hi'n ddydd o lawen chwedl i bawb ohonom pan fu i un o'n haelodau, D. Lloyd Hughes, glywed "galwad" i fod yn weinidog yr efengyl a'n hysbysu o hynny.' Dafydd sy'n cofio'r stori orau:

'Yn fy nyddiadur am 1 Medi 1988, o dan y gair Seilo, ysgrifennais a ganlyn: 'Ar ôl Pwyllgor Adeiladau cafwyd Pwyllgor Blaenoriaid; dim o bwys. Diolchais iddyn nhw ar ran Manon am eu cerdyn pan oedd hi'n sâl. Yn y cyntedd, cyn gadael, gofynnodd y Gweinidog i mi, "Be ydi'ch bwriad chi pan fyddwch yn ymddeol fis Chwefror nesa?" Yna ychwanegodd, "Ydach chi rioed wedi ystyried y weinidogaeth ran-amsar, a mynd ar gwrs ar gyfer gneud hynny?" "Gai weld" oedd fy ymateb i – llugoer, braidd.'

'Ydach chi rioed wedi ystyried y weinidogaeth ran-amsar?'

Mi fûm i'n troi a throsi'r peth yn fy meddwl am fisoedd. Wedi imi ymddeol yn Chwefror 1989, ac inni fynd ar daith i Israel yn Ebrill, mi ddaeth pethau'n gliriach yn fy meddwl i. Ac fel petai pethau'n mynnu bod, beth oedd yn fy nisgwyl ar ddychwelyd o Israel oedd tasg ar gyfer Talwrn y Beirdd, i greu telyneg i'r testun 'Llais' o bob dim, a dyma fel y daeth hi:

Rhodio bryniau Galilea,
    Mwytho'u llethrau dan fy nhroed;
Rhyw obeithio y cawn ymdeimlo
gyda'r rhai fu unwaith yno
    yn hir wrando a chadw oed.

> Yna dod yn ôl i Gymru,
> Sodrwyd dwydroed ar ei llawr;
> Tra bûm i'n ei geisio acw
> yma yr oedd o hyd yn galw
> fel y weddw am y wawr.

A dyna benderfynu mynd i weld y Gweinidog.'

Mae gan Nan a minnau atgofion byw am yr ymweliad rhyfeddol hwnnw gan Dafydd ac Ann. Ymweliad oedd i newid yn llwyr batrwm y weinidogaeth yn Seilo yn ogystal â fy null innau o gyflawni'n gwaith gyda'i unigrwydd enbyd ar brydiau. Wrth gwrs, bu misoedd wedyn o drafod a pharatoi, o agor drysau a derbyn arweiniad pellach. Wedi traddodi pregeth am y waith gyntaf yn oedfa'r bore yn Seilo ddechrau Ionawr 1990 dechreuodd Dafydd gerdded yma ac acw i bregethu'r Gair ac arwain oedfaon.

'Petai'r genedl yn troi at neges Crist, fe allwn ni newid ein cymdeithas yn sylfaenol . . .'

Roedd llwybr Dafydd i'r weinidogaeth yn un gwahanol iawn i'r un y bu i mi ei gerdded ac, o bosibl, yn un mwy ystyriol:

> 'Sioc oedd yr adwaith cyntaf fyddwn i'n ddeud; sioc fod y gŵr a'r tad a oedd wedi bod mor ddihyder dros y blynyddoedd cyn belled ag yr oedd cymryd rhan mewn gwasanaethau'r eglwys yn bod, yn awr yn bwriadu bod yn

G

O'R REIAT I'R SEIAT

Pregethwr nid het plismon

Llun: Aled Jenkins

**Ar ôl 30 mlynedd o wasanaeth yn y lifrai las,
mae cyn uchel-swyddog gyda'r polis ar fin troi'n
weinidog. Nid cyfraith a threfn ond efengyl
Crist yw'r ateb i broblemau cymdeithas, meddai
Dafydd Hughes. Stori: Robin Gwyn**

Mae yna olwg fodlon ar wyneb Dafydd Hughes y
dyddiau hyn - golwg rhywun sydd wedi ffeindio ei le
yn y byd. Yr hawl i wisgo bathodyn Cymdeithas yr
Iaith ar ei frest yw'r arwydd amlyca' fod Dafydd
Hughes heddiw'n rhydd i ddilyn ei reddfau. Lai na
blwyddyn yn ôl, fe fyddai hynny wedi achosi sgandal.
Y newid llai amlwg, ond mwy sylfaenol, yw bod
Dafydd Hughes, ar ôl 30 mlyneddd, wedi sylweddoli
bod gair Duw yn gryfach arf na llythyren y gyfraith -
mae'r gŵr oedd tan yn ddiweddar yn Inspector gyda
Heddlu Gogledd Cymru wedi cyfnewid ei lifrai a'i gap
pig am wely, bwrdd a Beibl.
Ac yntau'n 50 oed, mae Dafydd Hughes wedi troi'n
fyfyriwr ac am fynd i'r weinidogaeth. Os oes ateb o
gwbl i ddadfeiliad ein cymdeithas meddai, drwy droi
at efengyl Iesu Grist y cawn ni'r ateb hwnnw.
"Dwi wedi gweld cymdeithas yn dirywio, ac mae
hynny wedi rhoi pwysau mawr ar yr heddlu," meddai,
wrth hel meddyliau yn llonyddwch un o lyfrgelloedd
Fictoraidd Coleg Diwynyddol Unedig y Presbyteriaid
yn Aberystwyth.
"Er bod gan yr heddlu fwy nag erioed o gyfarpar ac
adnoddau, dydi o ddim yn ddigon. Mae trais wedi
cynyddu, mae diffyg parch wedi cynyddu ac fel mae'r
blynyddoedd wedi pasio, mae oedran y bobol sy'n
troseddu yn mynd yn iau ac yn iau.
"Yn ara deg mi ddês i sylweddoli nad oedd
llywodraethu gwleidyddol a rhoi mwy o bwys ar
gyfraith a threfn ddim yn atebion tymor hir, dim ond
dal y caead ar y pot ydan ni - mae angen newid ein
hagwedd foesol yn gyfan gwbwl."
Bu sawl carreg filltir bwysig ym mhererindod
Dafydd Hughes - gadael yr Eglwys yng Nghymru yn
1959, ymuno â'r Eglwys Bresbyteraidd ddeng

**" ... dim ond dal y caead ar y pot ydan ni -
mae angen newid ein hagwedd foesol yn
gyfan gwbwl"**

mlynedd yn ddiweddarach a dylanwad ei weinidog
lleol, Harri Parri, yng Nghapel Seilo, Caernarfon. Er
fod ei yrfa lwyddiannus yn yr heddlu wedi datblygu
law yn llaw gyda'i ddiddordeb mewn diwinyddiaeth,
roedd y newid mawr ar droed erbyn dechrau'r
wythdegau pan ddaeth yn flaenor yn Seilo.
"Dyw plismyn fel arfer ddim yn bobol sy'n cwestiynu
yr hyn mae'n nhw'n ei wneud ac roeddwn ni'n amal yn
cael fy hun mewn lleiafrif o un ar gyrsiau hyfforddi
pan oedd cyfle i leisio fy marn bod gwasanaethu a bod
yn atebol yn bwysicach na'r elfen o awdurdod.
"Ond doedd yna ddim chwerwder yn fy
mhenderfyniad i ymddeol, dim ond cydnabyddiaeth
fod pethau wedi newid."
Un o'r newidiadau yw'r dirywiad ym mharch y bobol
at y bois mewn glas. Yn ôl Dafydd Hughes mae yna fai
ar y ddwy ochr.
"Mae plismyn yn sensitif iawn i feirniadaeth - yn
amharod iawn i'w holi eu hunain a phwyso a mesur
beth yw eu swydd - ond mae'n wir hefyd nad yw'r
cyhoedd yn sylweddoli bod yr heddlu yn gwneud job
anodd iawn."
Mae wyth o bob deg o'r penderfyniadau, hyd yn oed
mewn argyfwng fel reiat, meddai, yn benderfyniadau
cywir. "Yn anffodus, camgymeriadau fel Hillsborough
a Guildford sy'n cael y sylw."
Os yw hi'n gyfnod anodd i'r heddlu, dyw pethau
ddim wedi bod yn fêl i gyd i Dafydd Hughes chwaith.
Y bathodyn Tafod y Ddraig ar ei frest sy'n arwydd o
gwestiwn cydwybod arall.
Fel cenedlaetholwr tanbaid a thad i aelod amlwg o
Gymdeithas yr Iaith yng nghanol yr 80au, roedd
gweld ei ferch, Gwenith, yn cael ei harestio mewn
protestiadau yn straen i rywun oedd yn gweithio yn
Mhencadlys Heddlu'r Gogledd ym Mae Colwyn.
"Doedd neb yn y gwaith yn dweud dim byd sarhaus
- ond wrth gwrs roedd yna wahaniaeth barn. Fel
heddwas profiadol roeddwn i'n gallu delio â'r sefyllfa -
roedd yn fwy o straen ar fy ngwraig, Ann, a'r neiniau
a'r teidiau, nag oedd o arna' i.
I Dafydd Hughes, mae yna berthynas glos rhwng ei
ffydd grefyddol a'i ddaliadau gwleidyddol. Mewn llai
na dwy flynedd, fe fydd yn defnyddio'r pulpud i brofi'r
berthynas honno.
"Mae'n deg dweud bod cyflwr y genedl yn bryder
mawr i mi - mae o'n fwy o stwmp ar fy stumog i na lot
o bethau.
"Mae'r genedl wedi colli gafael ar ei gwreiddiau a'i
diwylliant - ond petai hi'n troi at neges Crist, fe allwn
ni newid ein cymdeithas yn sylfaenol ..."

weinidog. Mi fyddwn i'n dweud hefyd bod ansicrwydd yn rhan o'r ymateb, ein bod oll fel teulu'n teimlo ein bod yn camu i'r anwybod mawr. Ond fu dim gwrthwynebiad.

Mi ges fy magu yn yr Eglwys yng Nghymru yn Sant Thomas, y Groeslon, a derbyn Bedydd

Esgob yn 15 oed. Ar ôl fy nghymun cyntaf fûm i ddim yn addoli wedyn am 15 mlynedd. Yna, ddechrau Hydref 1969, minnau bellach yn aelod o'r heddlu, a newydd gael fy symud i'r Wyddgrug, mi benderfynais fynd i addoli efo Ann a'r plant yng Nghapel Bethesda yn y dref a chael croeso mawr gan y gweinidog, y Parchedig Eirian Davies, a'r aelodau. Daeth y symud allan o'r fro Gymraeg ac ailafael mewn addoli â rhyddhad i mi rhywsut; rhoddodd imi olwg newydd ar fy ffydd a'm Cymreictod. Bu i'r cyfan agor fy meddwl a gwneud imi sylweddoli pa mor werthfawr oedd y pethau hyn i gyd.

'Dim ond dal y caead ar y pot ydan ni – mae angen newid ein hagwedd foesol yn gyfan gwbl.'

O'r 'Reiat i'r Seiat' oedd y pennawd wedi i'r stori gyrraedd *Golwg*. Meddai'r gohebydd: 'Mae yna olwg fodlon ar wyneb Dafydd Hughes erbyn hyn. Y newid llai amlwg, ond mwy sylfaenol, yw ei fod, ar ôl 30 mlynedd, wedi sylweddoli bod gair Duw yn gryfach na llythyren y gyfraith.' Yna, ychwanegu bod 'y gŵr oedd tan yn ddiweddar yn Inspector gyda Heddlu Gogledd Cymru wedi cyfnewid ei lifrai a'i gap pig am wely, bwrdd a Beibl'.

Ond wedi bwrlwm y profiadau gwahanol a gafodd, a'r wefr o feddwl am ddyfodol amgen, daeth cwmwl i'r ffurfafen – fel sy'n digwydd mor aml wedi

Ebrill 1995 a'r ddau gydweithiwr yn ymlacio peth.

i un feddwl yn fwy trylwyr am bethau. Mae o'n dal i gofio y pwl o wewyr meddwl a ddaeth iddo fore Sul, 9 Mehefin 1990. Dechreuodd gerdded at yn ôl. Ysgrifennodd lythyr i'r perwyl; apeliais innau arno i oedi cyn ei ddangos na'i anfon. Do, daeth golau yn ôl i'r ffurfafen, yn fwy llachar na chynt ddywedwn i. Fu dim pendroni wedyn.

Mae'r gweddill, bellach, yn hanes hir, gwerth ei adrodd.

O bentre'r Groeslon y daw Dafydd Hughes ond bu ei rieni yn byw yng Nghaernarfon yn ddiweddarach. Yn 1959 ymunodd â'r heddlu gan ddilyn ei waith mewn sawl ardal yng ngogledd Cymru. Daw Ann, ei briod, o Bencaenewydd yn Eifionydd ac yno, yng nghapel Pencaenewydd, y bu'r briodas, 21 Mehefin 1962. Mae ganddynt dri o blant – Ioan, Gwenith a Manon – ac, erbyn hyn, nifer o wyresau ac wyrion. Wedi i Dafydd gael ei benodi'n Arolygydd symudodd y teulu i Gaernarfon, yn 1981. Fe'i dewiswyd yn flaenor yn eglwys Seilo yn 1985. Gyda'r blynyddoedd teimlodd alwad arbennig i wasanaethu Eglwys yr Arglwydd Iesu Grist ac yn 1989 fe'i derbyniwyd yn ymgeisydd am y weinidogaeth ran-amser a threuliodd ddwy flynedd yn y Coleg Diwinyddol yn Aberystwyth, fel myfyriwr, yn cael ei hyfforddi ar gyfer y gwaith.

Yn 1991, ar gwblhau'r cwrs cytunodd Henaduriaeth Arfon – gyda chaniatâd y Gymdeithasfa – i'w neilltuo i fod yn Weinidog Cynorthwyol yn eglwys Seilo, Caernarfon, a chytunodd swyddogion yr eglwys, yn unfrydol, i hynny. Fe'i neilltuwyd i'r gwaith mewn oedfa yno, 7 Gorffennaf, a'i ordeinio i'r weinidogaeth mewn Cymdeithasfa yng Nghorwen, 7 Medi 1991. Yn 1996, daeth Dafydd Hughes yn weinidog llawn-amser yng Nghapel y Rhos,

Llanrug, yn ogystal â bod yn weinidog cynorthwyol yn Seilo. Wrth i mi ymddeol yn y flwyddyn 2000 daeth y weinidogaeth honno i ben. Derbyniodd yntau'r alwad a gafodd i fod yn weinidog llawn-amser ar eglwysi Capel y Rhos, Llanrug, a Chysegr, Bethel, yng ngofalaeth newydd Glannau'r Saint. Bu yno hyd nes iddo ymddeol yn 2006.

Yn ystod ei weinidogaeth, ac wedi ymddeol, cyfrannodd yn helaeth i fywyd yr eglwys yn Seilo, i eglwysi eraill a chylchoedd ehangach na hynny. Meddai wedi ymddeol, 'Y fendith fwyaf i mi o gael bod yn weinidog fu yn fy ymwneud â phobol; dŵad i nabod pobol a chael sgwrsio efo nhw yn eu cynefin ac ar eu haelwydydd, am bob math o bethau. Ac weithiau bod ar gael iddyn nhw ar awr eu hangen, a cheisio cofio bob amser nad oedd yr ateb i'w holl anghenion ddim gen i.'

O ran y gwaith bugeilio a nifer y gweithgareddau bu cael Dafydd Hughes fel cydweithiwr yn Seilo yn gymorth hawdd ei gael ac yn fendith amhrisiadwy. Addewais innau na fyddwn i fyth yn rhy brysur i ymweld â phobl pan fyddai angen hynny, nac ychwaith i baratoi ar gyfer y pulpud. Ac o hynny ymlaen, stori dau, fwy neu lai, fu hanes fy ngherddediad innau ar hyd palmentydd Caernarfon.

Blynyddoedd cofiadwy Llanrug . . .

Yn ôl Dafydd, ym mlynyddoedd Llanrug y bu un o'r profiadau mwyaf cofiadwy a gafodd yn ystod ei holl yrfa fel gweinidog: 'Y profiad o gael cydweithio

Cychwyn ar daith noddedig o eglwys Noddfa, Caernarfon, i Drefeca yng Ngorffennaf 1984: ar y chwith y diweddar Gareth Alban, Cath o eglwys Noddfa, Dafydd Hughes, gŵr ifanc a minnau.

gydag eraill o fewn talgylch papur bro *Eco'r Wyddfa*, i sefydlu cynllun a ddaeth â gweithiwr ieuenctid Cristnogol i'r fro honno, sef Cynllun Efe. Mae'r cynllun bellach wedi dathlu ei ben-blwydd yn ddeg oed a thrydydd gweithiwr wrth y gwaith. A chyda llaw, y Parch. John Pritchard, Llanberis a fathodd yr enw, Efe – Efengyl i fro'r Eco. Da 'te?'

Y Gweinidog a dorrodd y newydd i mi fod Dafydd yn cael ei ordeinio a bod yna drefnu bws i aelodau Seilo fynd yno i'w gefnogi. Bws mini oedd fy syniad cyntaf i, ond fel y deuai'r enwau i law tyfodd y mini i fod yn fws mawr iawn, ond ar y noson roedd yn rhaid cael dau fws mawr gyda rhai aelodau'n teithio yno yn eu ceir eu hunain.

O gefn y capel gorlawn, gwelwn Dafydd yn eistedd yn y sêt fawr yng nghanol cewri'r Sasiwn. Ond daeth ei foment fawr. Mewn byr eiriau eglur, argyhoeddodd y gynulleidfa gref o'i ffydd yn Nuw, o'r alwad a gafodd, a'i ofnau ar y daith ac o'i amcanion a'i addewid i weithio'n ddiflino tros achos yr Arglwydd yn Seilo. Mynegodd ei ddiolchgarwch diffuant i bob un a'i cefnogodd ar ei daith drwy'r Coleg, o fod yn Arolygydd yn yr Heddlu i fod yn un o weision Duw yn Seilo.

Drwy'r araith, yr hyn a safai allan, megis edau aur i mi, ydoedd ei ddiffuantrwydd a'i ffydd ddisyfl yn ei Dduw a'i Waredwr, yr Arglwydd Iesu Grist. Yn yr ymgomio wedi'r gwasanaeth, clywais bethau fel hyn yn cael eu dweud: 'Gŵr ifanc ardderchog, ynte'; 'Siaradwr cynnil a doeth yn dewis ei eiriau'; 'Tydach chi'n lwcus yn Seilo acw, deudwch?' I mi, gwasanaeth cofiadwy iawn, iawn.
— *Y Bont* 1991, John Hughes, Cyn Bennaeth C.I.D. a ddaeth yn Brif Uwch-arolygydd ac aelod yn Seilo.

Aelodau Taro i Mewn, haf 1998, ar eu taith diwedd tymor ac yn Nolwar Fach, cartref Ann Griffiths.

Patrwm y cydweithio rhyngom fyddai rhannu'r gwaith bugeiliol yn weddol gyfartal a rhannu cyfrifoldebau am ddigwyddiadau wythnosol eglwys weddol brysur, a'r digwyddiadau achlysurol eraill, yn yr un modd. Bu'n arfer cwrdd ar foreau Mawrth, i edrych yn ôl ar ddigwyddiadau'r wythnos a fu; i drefnu ar gyfer yr wythnos a oedd wedi ein cyrraedd; i fyfyrio ar amgylchiadau teuluoedd ac unigolion ac ar fywyd y dref yn gyffredinol.

Yna, gadael cyn 11.00 i fynychu 'Taro i Mewn': y cyfarfod anenwadol sy'n cyfarfod ar fore Mawrth yn festri Capel Salem i gymdeithasu ac i ymuno mewn cân, myfyrdod a gweddi, cyn ymadael. Ymadael, amryw, i gael pryd canol dydd yng nghwmni ei gilydd. Rhoi cynhaliaeth i'r unig oedd prif amcan sefydlu'r digwyddiad chwarter canrif a mwy yn ôl.

Cyfoethogodd Dafydd y weinidogaeth a gafodd

Aelodau Taro i Mewn, haf 2001, ar eu taith diwedd tymor wedi bod yn rhodio Gerddi Bodnant.

yr eglwys yn Seilo gyda'i ddoniau gwahanol ac ychwanegol i fy rhai i: pwyll a doethineb ar bob achlysur, dewrder i wynebu amgylchiadau anodd, hyder i roi tystiolaeth dros ei Waredwr yn ôl y galw, trefnusrwydd plisman wrth baratoi at ddigwyddiadau ac ymchwil ditectif am y gwirionedd yn y Gair.

Fel un a fu'n cerdded palmentydd yn blisman cafodd ei fendithio â'r gallu i gyfathrebu â phobl yn rhwydd ddigon; a chydweithio hapus fu hi rhyngom hyd ddiwedd blwyddyn ola'r ganrif. Arferwn ddweud wrtho y bu paratoad i fod yn blisman yn un rhagorach at fod yn weinidog na'r un a gefais i. Ond ymgais at dynnu coes fyddai peth felly. Ond dw i'n cofio gofyn iddo fo unwaith, o gael dewis cyfartal, prun o'r ddwy swydd, yr heddlu neu'r weinidogaeth, a fyddai ei ddewis cyntaf wedi bod:

Cau Capel Engedi: mynegwyd mai adeilad oedd yn cau a bod cymdeithas yr eglwys yn mynd ymlaen yn hyderus i wynebu canrif newydd.

> 'Ganol Chwefror 1989 y bu imi ymddeol o'r heddlu ar ôl treulio 30 o flynyddoedd yn y swydd: ganol mis Chwefror eleni, 2019, mae yna 30 o flynyddoedd wedi mynd heibio er i mi dderbyn galwad i'r weinidogaeth. Pan glywodd fy nhad fy mod yn mynd am y weinidogaeth dywedodd wrtha i i'r Parch J. M. Hughes, ficer Sant Thomas, ddŵad heibio ar sgowt, ar gais yr Esgob, i holi fy nhad a oedd o'n credu bod defnydd offeiriad yn ei fab o. Ateb fy nhad, medda fo, oedd 'nefar'. A'r tebyg ydi mai dyna fyddai fy ateb innau, ar y pryd. Na, anodd deud! Ond mi fedra i ddeud imi fwynhau fy ngwaith yn yr heddlu ac imi werthfawrogi'r fraint o gael galwad i wasanaethu achos Iesu Grist.'

A bu Ann a'r teulu yn gefn iddo ar bob adeg. Bu hithau, fel Dafydd, yn gefnogol i fywyd yr eglwys yn Seilo gydol y blynyddoedd.

Gyda'n gilydd

Digwyddiad gwahanol blwyddyn 1996 fu sefydlu Gofalaeth Caernarfon i gynnwys Seilo ac Engedi. Gan fod Dafydd Hughes, bellach, yn weinidog

Gyda blaenoriaid eglwys Engedi wedi dwy flynedd o fod yn weinidog yno a chyn cau'r adeilad, o orfod, a'r ddwy eglwys yn ymuno ddechrau Ionawr 1999.

cynorthwyol a Cath Williams wedi ei lleoli yn Eglwys Noddfa ar stad Cil Peblig, yn weithwraig cymuned yn y dre, dyna dri i gydweithio fel tîm, lle bu unwaith un. Dyma'r pryd y gwelwyd eglwys Seilo ar ei lluosocaf: yr aelodaeth yn 750 a nifer y plant yn 250. Oherwydd maint yr ofalaeth newydd – 1,000 o aelodau, pobl ifanc a thua 300 o blant – fedrwn i fawr mwy nag addo dal ati i wneud fy ngorau.

Cynhaliwyd yr oedfa olaf yng Nghapel Engedi fore Sul, 20 Rhagfyr 1998. Penderfynodd aelodau'r eglwys, drwy bleidlais, ymuno â'r gynulleidfa yn

Parch Trefor Jones yn llefarydd yn Y Dewraf o'n Hawduron, 2007 – fel mewn sawl pasiant arall. Bu'n weinidog yn y dref o 1965 hyd 1990 ac yn nes ymlaen yn aelod eithriadol gefnogol yn eglwys Seilo – i mi, cydweithiwr a chyfaill heb ei debyg.

Seilo i ffurfio un eglwys a chydaddoli o ddechrau Ionawr ymlaen. Yr act olaf un oedd gweinyddu'r Cymun yn yr hen gapel. Yn naturiol, roedd tristwch gwirioneddol i'w deimlo o gau drysau'r adeilad wedi dros ganrif a hanner o addoli a thystio yn y rhan yna o'r dref. Ond mynegwyd, hefyd, mai adeilad oedd yn cau a bod cymdeithas yr eglwys yn mynd ymlaen yn hyderus i wynebu canrif newydd.

Ar y bore Sul cyntaf yn Chwefror y bu'r uno swyddogol. Fi arweiniodd y gwasanaeth hwnnw ond plant ac ieuenctid yr eglwys newydd oedd yn cynnal yr oedfa. Roedd o'n addoliad llawn bwrlwm gyda'r tŷ yn llawn, nifer fawr o deuluoedd ifanc a'u plant yn rhan o'r gynulleidfa, y sacrament o fedydd yn

Newydd draddodi'r Ddarlith Davies – un o arferion blynyddol yr enwad – yn Llanbedr Pont Steffan, Gorffennaf 2002; rhai o flaenoriaid eglwys Seilo a ddaeth i'm cefnogi, Nan ar y chwith i mi, ar y dde eithaf y Parchedig Gwenda Richards, Gweinidog Seilo erbyn hynny, a'i thad wrth ei hochr.

cael ei gweinyddu a llu o blant yn cadw'r hen arfer o 'ddweud adnodau'. Eto, yn gwneud hynny mewn idiom a oedd yn newydd a gwahanol. Bu'n arfer yn Seilo cynnal bore coffi yn y theatr yn dilyn yr oedfa, i gasglu arian at achosion dyngarol. Y Sul hwn fe drowyd yr arfer yn gyfle i groesawu pobl Engedi ac i'r ddwy gymdeithas ddod i adnabod ei gilydd yn ddyfnach.

Gyrru ar hyd yr ail filltir

Soniais ar bregeth un bore Sul, mae'n debyg, am Ahab, brenin Samaria, yn cynllwynio i feddiannu gwinllan Naboth a hynny drwy labyddio'i pherch-

Teulu clos Tŷ Capel. O'r chwith i'r dde: Bethan, Elen, Gwilym ac Elisabeth yn cydio'n dynn yno fo ac yntau ar gychwyn i'r gwledydd pell.

ennog. Cyfeiriais fel roedd Sarajevo – prifddinas gweriniaeth Bosnia a Hersegofina – o dan warchae y bore hwnnw: miloedd heb na bwyd na moddion, trydan na thanwydd, na sawl gwir anghenraid arall. Yn eu sedd, trodd Gwilym Roberts at Elisabeth, ei wraig, a sibrwd, 'Dw i yn mynd yno!' Ond awgrymodd ei wraig, gyda'i hiwmor arferol, y byddai'n rhaid iddo oedi peth, 'Dydi'r oedfa ddim drosodd eto, Gwil!'

Fodd bynnag, fis Awst 1993 taniwyd lori fenthyg, a'i thrwmbal yn llawn o roddion gwir angenrheidiol, ac aeth Gwilym efo Mike Underwood – un o

Gaernarfon a chydweithiwr ag o yng Ngorsaf Gynhyrchu Dinorwig – ar daith ddeng niwrnod i Bosnia a Chroasia. A chafodd pobl Seilo gyfle go arbennig i'w helpu i lwytho'r lori gyntaf honno. Bu Gwilym yno bum gwaith rhwng 1993 a 1995 ac wedi hynny. Yn ogystal, bu ewyllys da'r cyflogwr, First Hydro, yn anhygoel a hynny gydol y blynyddoedd a dylid cofnodi hynny.

Yn niwedd yr Wythdegau y daeth Gwilym ac Elisabeth, a'u dwy ferch, Elen a Bethan, i fyw i Gaernarfon ac ymuno â'r eglwys yn Seilo. Yn nes ymlaen, bu'r teulu yn byw yn y tŷ sy'n rhan o'r adeilad ac yn ofalwyr y capel a'r theatr. Gydag Elisabeth yn gefn iddo gwnaeth Gwilym fwy na gwarchod yr adeiladau. Rhoddodd gyfle i'r eglwys ledu ei gorwelion ac i ninnau gael ceisio troi'n Ffydd yn weithredoedd. Gan fod chwarter canrif a mwy er hynny bu'n rhaid i mi alw heibio i Elisabeth a Gwilym un bore, ym Mhen-y-groes bellach, i ail-lenwi'r tanc.

Yn stydi Seilo. Wedi cynnydd yn y gofal fedrwn i fawr mwy nag addo dal ati i wneud fy ngorau; roedd paratoi at addoliadau a digwyddiadau eraill yn rhan fawr o'r gwneud hwnnw.

'Bellach,' meddai Gwilym, 'ma' gin i luniau yn fy meddwl na fedra i mo'u disgrifio nhw'n llawn. Ma'

effaith be welis i yn dal efo mi, a deith o byth o 'ma. Ma' gin i go' am hen wraig yn mynd â fi i fynwant lle'r oedd ei dau fab hi wedi cael eu claddu, un yn bymtheg oed a'r llall yn ddeunaw. Y milwyr wedi agor y bedd, darnio'r cyrff a hongian y darnau cigoedd ar ffens – yn fath o rybudd.' Wrth deithio'n ôl o Ben-y-groes, y stori ar flaen fy meddwl i oedd honno am dyrfa o ffoaduriaid yn llusgo heibio iddo. Yna, mam â babi o dan un fraich ac yn llusgo plentyn bach arall gyda'r fraich arall, yn erfyn arno, 'Will you take my baby with you to somewhere safe?' O gofio Gwilym y bore hwnnw yn sôn, gyda gwewyr, am weld nifer fawr o bennau rhai a ddienyddiwyd wedi eu casglu at ei gilydd yn domen uchel bu'n rhaid i mi bwyso'n drymach ar y sbardun a brysio ymlaen. Math o 'fynd o'r tu arall heibio'.

Mewn oedfa yn Seilo ar fore Sul Diolchgarwch 1994, yn ôl rhifyn o'r Bont, cafodd Gwilym ei argyhoeddi y dylai ddychwelyd yno. A ninnau'n diolch bod 'ein tai yn llawn o'i roddion rhad' soniodd un o'r aelodau am ymweld ag ysbyty yn Rwmania ac am yr amgylchiadau yno.

Un peth a oedd yn llethu Gwilym a Mike wrth ddychwelyd wedi'r ymweliad cyntaf oedd argyfwng y gwasanaethau meddygol. Flwyddyn yn ddiweddarach roedd y ddau yn cychwyn am Bosnia, ac yna i Croasia, mewn ambiwlans ail-law yn llawn offer meddygol a meddyginiaethau o bob math. Rhodd Awdurdod Iechyd Clwyd oedd y cerbyd a'r gwahanol foddion yn rhoddion fferyllwyr a meddygon teulu neu a brynwyd yn benodol gan gefnogwyr.

Ar bnawn Sul, 2 Ebrill 1995, y cychwynnodd Gwilym Roberts a'i gyfaill Mike Underwood i Groasia

Gyferbyn: Awst '93, Gwilym a'i gyd-ymgyrchwr, Mike Underwood, ar gychwyn am Fosnia a Croasia a'r ambiwlans ail-law yn orlawn o roddion meddygol. Yna Lipic, yn Croasia, lle nad oedd odid faen ar faen yn sefyll.

Uchod: Aelod o staff nyrsio ysbyty yn Gospic yn derbyn yr offer a Beibl Cymraeg.

am yr eildro. Cyn tanio'r ambiwlans, a chychwyn ar y daith, cyflwynwyd Beibl Cymraeg yn rhodd i ysbyty yn Gospic fel arwydd o'n pryder amdanynt a'n gofal drostynt, ynghyd â llythyrau oddi wrth rai o blant ysgolion y cylch. Yna, caed gair o weddi yng nghyntedd y capel i ofyn i Dduw fendithio'r genhadaeth. Wedi cyrraedd yr ysbyty yn Gospić, cyflwynodd pennaeth yr ysbyty faner i'r ddau, yn rhodd i Eglwys Seilo, gyda'r bwriad o sefydlu pont o gyfeillgarwch pellach rhwng y ddau sefydliad.

Yn nhref Srebrenica, yng Ngorffennaf 1995, y bu hil-laddiad gwaetha'r rhyfel i gyd pan ddienyddiwyd cynifer â 8,000, dynion a bechgyn yn bennaf. Yn ôl y gwefannau, lladdwyd oddeutu 100,000 rhwng Ebrill

Y cerrig beddi sy'n coffáu lladdfa Srebrenica.

Torrwr beddi mewn mynwent yn Sarajevo, 1992

1992 a Rhagfyr 1995 a chafodd ymhell dros ddwy filiwn o bobl eu dadleoli – miloedd ar filoedd byth i ddod i'r fei nac i gael dychwelyd.

'Letter of thanks from Croatia' oedd un o benawdau'r *Caernarfon Herald*, 10 Ionawr 1997, a'r llythyr hwnnw wedi'i gyfeirio at Gwilym Roberts, 2 Twthill Terrace. Y llythyrwr oedd Goran Nikles, a oedd yn byw ym mhentref Lipik – lle nad oedd, erbyn hynny, odid faen ar faen yn sefyll: 'Dear Respected Friend, On behalf of the working people of Lipik, Croatia, please accept our sincere thanks for the help you have given us at this time of war. You left your families behind to give us food and aid. In front of us there is a period of rebuilding and hard work. Once again, thank you.'

Gyrru a dal i yrru

I fynd ar ôl hanes Gwilym, a chyfeillion iddo, mae'n amhosibl cofnodi pob digwyddiad, rhestru pob elusen na chofnodi'r symiau a gasglwyd ar bob achlysur: canŵio o Gofentri i Gaer ar hyd tair camlas i godi arian i brynu a thalu am hyfforddi cŵn tywys i ddeillion neu badlo ar hyd camlesi Cymru i noddi merch a oedd yn anabl. Gwn i fudiadau eraill megis Nyrsys Macmillan, Cymdeithas Strôc, Childline ac Operation Christmas Child elwa. O fewn degawd fe gyrhaeddodd Gwilym ei nod o gasglu chwarter miliwn er mwyn eraill.

Y digwyddiad cyntaf i mi ei gofio oedd penderfyniad Gwilym, ym Mehefin 1992, i helpu un o blant y capel fyw breuddwyd. Roedd Gwenno Rees Hughes ar y pryd yn 12 oed ac yn gaeth i gadair olwyn. Os oedd gan rywun yn Seilo bryd hynny 'wên na phylodd amser' Gwenno oedd honno. Roedd hi wedi dweud wrth ei chwiorydd,

Toriad o'r *Cymro* yn dangos 'Gwenno yn trafod tactics efo Mici Plwm'.

AR DAITH

Y niwl yn codi i Gwenno

CODODD y niwl ar gopa'r Wyddfa ddydd Sadwrn fel ag yr oedd y criw a oedd yn cario Gwenno Rees Hughes 12 oed yn cyrraedd.

"Yr oedd yn union fel pe byddai wedi ei drefnu," meddai ...

war a helpodd i'w chario a gwireddu breuddwyd mawr bywyd Gwenno sy'n gaeth i gadair olwyn oherwydd spina biffida.

"Yr oedd hi gymaint wrth ei bod ar ôl cyrraedd doedd hi ddim yn medru dweud dim," meddai ...

theithiodd yn ôl i lawr ar dren yr Wyddfa.

Yn ogystal a'r cludwyr, a gynhwysai dîm o ferched, ymunodd oddeutu tri chant o bobl a'r daith noddedig a chredir ...

Ar ysgwyddau llydain aelodau o Glwb Rygbi Caernarfon yr oedd y cyfrifoldeb o gario Gwenno i fyny'r rhannau mwyaf serth ac anodd.

Cerddodd Gari, o Landudno, yr holl ffordd i'r copa er yn dibynnu ar faglau.

Eleri a Ffion, yr hoffai hi gael mynd i 'rwla egseiting'. Mynd i gopa'r Wyddfa fu'r 'rwla' hwnnw. Bu Gwenno farw yn 2003 yn 23 ac mae ei bedd hi ym Mynwent Llanbeblig.

Cododd y niwl ar gopa'r Wyddfa ddydd Sadwrn fel ag roedd y criw a oedd yn cario Gwenno Rees Hughes, 12 oed, yn cyrraedd.

'Yr oedd yn union fel byddai wedi ei drefnu,' meddai Mici Plwm a oedd yn aelod o un o'r 15 o dimau o bedwar a helpodd i'w chario a gwireddu breuddwyd fawr Gwenno sy'n gaeth i gadair olwyn oherwydd spina biffida. 'Yr oedd hi gymaint wrth ei bodd ar ôl cyrraedd doedd hi ddim yn medru dweud dim,' meddai. Cariwyd hi'r ychydig lathenni olaf i'r copa ei hun gan ei thad, Glyn, a theithiodd yn ôl i lawr ar drên yr Wyddfa.

Yn ogystal â'r cludwyr, a gynhwysai dîm o ferched, ymunodd oddeutu tri chant o bobl â'r daith noddedig a chredir i tua £3,000 gael eu codi tuag at Gymdeithas Spina Biffida a Hydrocephalus Gogledd Cymru.

Ar ysgwyddau llydain aelodau o Glwb Rygbi Caernarfon yr oedd y cyfrifoldeb o gario Gwenno i fyny'r rhannau mwyaf serth ac anodd ... Cynlluniwyd y gadair efo llorpiau i gario Gwenno gan ei thad, a ddywedodd i'r gefnogaeth fod yn rhyfeddol, a dywedodd Gwenno ei hun i'r cyfan fod yn 'Brul'. 'Ar Daith – y niwl yn codi i Gwenno' oedd y pennawd.

— *Y Cymro*, 'Ar Daith – y niwl yn codi i Gwenno' oedd y pennawd.

Wedi 15 mlynedd neu fwy cafodd Gwilym ddychwelyd i Bosnia a Chroasia i ffilmio rhaglen yn y gyfres *O Flaen dy Lygaid* a ddangoswyd 11 Mai 2010. Y bwriad, gan fod yno bellach heddwch – ond un brau – oedd ei gael i gerdded hen lwybrau ac ailgyfarfod rhai a gyfarfu gynt.

Yn Ysbyty Gospic gwelodd y Beibl Cymraeg hwnnw a gludodd yno . . .o bob syndod gwelodd ei fod yn dal i gael ei agor.

Un oedd Minka, nyrs yn yr ysbyty ym Mostar a weiniai'n dirion ar bob rhyw blentyn beth bynnag ei gefndir. Daeth o hyd iddi mewn fflat cyfyng ym Mostar, yn unig ac enbyd ei byd. Daeth y Serbiaid i wybod mai Mwslim oedd hi. Fe'i harteithiwyd, dwyn ei phlant oddi arni, eu hanfon nhw dramor a'i charcharu hithau am bum mlynedd. Doedd ganddi, meddai, ddim ar ôl ond ei ffydd, a honno'n machludo a gwawrio fel nos a dydd. Erfyniodd ar Gwilym i geisio dod o hyd i'w phlant – os oedden nhw wedi cael eu harbed. Ymchwil seithug fu honno iddo.

Yn Ysbyty Gospic gwelodd y Beibl Cymraeg hwnnw a gludodd yno. Syndod pob syndod iddo oedd deall ei fod yn dal i gael ei agor. Gyda chymorth gwefan arbennig gellir ei ddarllen, mae'n debyg, yn yr iaith frodorol. Darllen pa adnodau, tybed? 'Bûm newynog a rhoesoch i mi fwyd'?

Roedd o hefyd yn awyddus i ail-gwrdd â gŵr o'r enw Ivan a achubodd ei fywyd drwy gynnig lloches mewn seler iddo pan oedd bwledi'n tasgu o'i gwmpas ac yntau yng nghanol pelenni tân. Ond, heb wybod ei gyfenw na'i union gynefin teimlai y byddai'n dasg rhy anodd.

Gydol y blynyddoedd bu Theatr Seilo yn fan i dderbyn y nwyddau, eu storio ac yna eu didoli. I ddidoli a phacio roedd yn rhaid wrth dîm o 30 neu fwy a 12 shifft o awr yr un. Mwy i law na maint y gofyn fyddai hi'n amlach na pheidio. Er enghraifft, yn Ebrill 1999 mae gen i gof am un o'r cynorthwywyr, Eric Salisbury, yn cynnig lori ychwanegol ac yn ei gyrru hi i Wrecsam. Roedd Eric a'i briod Mari wedi colli eu mab, Iolo, ychydig fisoedd ynghynt.

Gweddi a offrymais i yn angladd Iolo fore Gwener, 18 Rhagfyr 1998:

Ein Tad, mi rydan ni yn troi atat Ti'r bore hwn â'n calonnau'n friw a'n llygaid yn llaith, i ofyn yn syml am dy gymorth ar awr anodd ac awr annisgwyl iawn i bob un ohonom ni. Ar adegau fel hyn, Arglwydd, wyddom ni ddim am unrhyw borthladd arall y gallwn ni droi i mewn iddo, 'o sŵn y storm a'i chlyw'. Fel y canodd un a fu'n byw yma yng Nghaernarfon, hanner can mlynedd yn ôl, ac a welodd stormydd digon tebyg:

Copi o lun prin y teulu o Iolo yn ymweld ag Eleri, ei chwaer, oedd ar y pryd ar ei gwyliau yng nghyffiniau Salzburg.

O! fyd, yn awr beth elli di?
'Nesáu at Dduw sydd dda i mi.'

Gweddïwn y bydd nesáu fel hyn, y bore anodd yma, yn gymorth i'n ffrindiau yn eu gofid mawr.

Daethom o sŵn y byd
i'th demel dawel di,
i brofi yno ryfedd rin
y gwin a'n cynnal ni.

Heddiw, ein Tad, mi rydan ni fwy o angen llymaid o'r gwin hwnnw nag erioed: y gwin sy'n 'lleddfu poen, yn gwella clwyf, 'n lladd ein hofnau trist.' Y gwin sy'n donic yn ogystal; 'y gwin a'n cynnal ni.'

Rydan ni'n troi atat ti, Arglwydd, mewn ofn a dryswch meddwl, mewn pryder ac annealltwriaeth mawr. Ofn na fydd ein geiriau ni o ddim cymorth i'r rhai sydd yma yn eu galar; ofn y bydd ein geiriau yn eu brifo nhw yn lle eu cynnal nhw. Fe wyddost ti, Arglwydd, am ein dryswch meddwl ninnau hefyd ar awr fel hon: mwy o gwestiynau nag o atebion, gofid am a fu ac ofn am a ddaw. Weithiau, ein Tad, dydan ni ddim yn nabod ein hunain, heb sôn am nabod pobl eraill. Ond rwyt Ti yn ein nabod ni i gyd:

Rhyw ddyfnder sy'n fy nghlwy'
Mwy nag a ddeall dyn:
ac nid oes yn f'adnabod i
neb ond Tydi dy hun.

Ac am dy fod Ti yn ein hadnabod ni, rwyt Ti'n gwybod y bore yma am hiraeth mawr Eirian a'r teulu, am dor-calon Eric a Mari, am ddolur Eleri a Sion, am ofid Nain, am deimladau teulu a ffrindiau, a thref ac ardal gyfan.

Hysbys wyt o'n holl anghenion
Cyn eu traethu ger dy fron.

Ac mi rydan ni'n troi atat Ti, ein Tad, wythnos union cyn y Dolig, pan ddaeth 'Duwdod mewn baban i'r byd'. 'Yr hwn a ddaeth yn dlawd fel y cyfoethogid ni, trwy ei dlodi ef.' Dod i gael ei eni mewn stabl, a'i ddodi yn y preseb; i fam ddi-briod yn nyddiau Herod greulon, i farw ar groes yn ddeg ar hugain oed, mwy neu lai – fel Iolo. Ia, dŵad i fyw profiadau rhai fel ni:

Daeth Brenin yr hollfyd i oedfa ein hadfyd
er symud ein penyd a'n pwn;
heb le yn y llety, heb aelwyd, heb wely,
Nadolig fel hynny gadd hwn!

Fel y Doethion gynt, cymorth ein ffrindiau galarus, y bore hwn, i agor eu parseli wrth ei breseb: aur eu hatgofion heulog am Iolo, yn blentyn llawn direidi ac yn llanc gosgeiddig; thus eu gweddïau tawel nhw'n gymysgedd rhyfeddol o ofid ac o ddiolchgarwch; myrr y groes maen nhw'n ei chario y bore yma a'r hiraeth sy'n brifo eu calonnau.

Diolch fod pob un ohonyn nhw wedi medru deud y gair bach 'diolch' wrth y cannoedd a ddylifodd i Rhyddallt Ganol, i Blas Rhosdican ac i Haddef, i ysgwyd llaw ac i golli deigryn mewn cydymdeimlad. A chymorth nhw, yr eiliadau yma, yn nhawelwch y capel, i ddweud diolch am Iolo: Eirian yn diolch am un a oedd yn gariad ac yn ŵr iddi, Mari ac Eric am un a ddaeth â chymaint o lawenydd i'w priodas, Eleri a Sion am y brawd mawr fu'n cyd-chwarae a chyd-wneud direidi hefo nhw; Nain am un oedd yn gannwyll ei llygaid hi. A ninnau ein Tad, y gweddill ohonom, yn diolch am i Iolo, mewn oes fer, gael blas ar fyw a rhyddid i ddilyn ei reddf, cael rhoi o'i garedigrwydd a'i gyfeillgarwch i eraill a chael ei garu'n ôl gan wraig a theulu a chyfeillion.

Am gael cynnau'n cannwyll wan,
diolch i Ti.

Fe gredwn ni, ein Tad, fod Iolo, bellach, wedi

cael y tawelwch hwnnw roedd o'n cael ei yrru i chwilio amdano, 'yr hedd na ŵyr y byd amdano.' 'Ac ni bydd marwolaeth mwyach, na galar na llefain na phoen. Y mae'r pethau cyntaf wedi mynd heibio.'

Nid oes yno neb yn wylo,
nid oes yno neb yn brudd;
troir yn fêl y wermod yno,
yno rhoir y caeth yn rhydd.

Cynorthwya'i deulu a'i ffrindiau i lacio'u gafael ynddo, o hyn ymlaen – osgoi ceisio'i dynnu'n ôl, drachefn a thrachefn, i hyn o fyd. 'Gorffwyso mae mewn hedd.' Rho iddyn nhw, Arglwydd, y grym i frwydro ymlaen gyda'u bywydau. I fyw fel cynt, i'r graddau eithaf y bydd hynny'n bosibl. Gan wybod mai dyna fyddai dymuniad yr un a oedd yn eu caru nhw, a chan gredu y byddai bod yn wahanol yn anesmwythyd iddo. Fe ddiolchwn, hefyd, am y pethau a fydd yn aros: yr atgofion aiff yn anwylach ac yn ddifyrrach gyda'r blynyddoedd; y cwlwm teulu fydd yn dynnach cwlwm wedi i'r storm ostegu peth; y llu cyfeillion fydd yn dal yn gyfeillion eto, wedi i'r dyrfa gilio; yr olion traed yn y tywod na all yr un llanw bellach eu dileu nhw; yr agosatrwydd at Iolo fyddan nhw'n deimlo'n gyson, yn braw nad oes neb yn marw ynddo ef, a'r Iesu, fu farw 'yn ieuanc ar y groes', sydd wedi addo bod 'yr un ddoe, heddiw, yfory ac yn dragywydd'.

A 'boed i dangnefedd Duw, yr hwn sydd uwchlaw pob deall, gadw ein calonnau a'n meddyliau yng Nghrist Iesu', weddill y bore cofiadwy hwn a hyd byth, Amen.

Dathlu'r degawd

Ar y pryd, wrth edrych yn ôl, roedd hi'n anodd credu bod deng mlynedd wedi mynd heibio er y bore llwyd a gwlyb hwnnw, 3 Hydref 1976, pryd y cyhoeddwyd bod drws yr addoldy newydd yn agored. Ddechrau Hydref 1986 bu wythnos o ddathlu bywiog: oedfa o ddiolchgarwch, rhaglen nodwedd, swper, cyngerdd, pnawn o feicio a chymanfa o ganu mawl i gloi'r cyfan. Meddai'r *Bont*:

> Aeth yr aelodaeth o 440 i dros 700, mewn deng mlynedd, a chynulleidfaoedd niferus yn dal i addoli yn gyson, dibynna ffyniant a datblygiad yr eglwys ar gnewyllyn llawer iawn llai. Ymroddiad yr ychydig, mewn cymhariaeth, sy'n cadw'r fflam i losgi, dyfalbarhad y lleiafrif sy'n cynhyrchu'r gweithgarwch sy'n sicrhau

Y blaenoriaid a'r gweinidog yng nghyntedd y capel, Gorffennaf 1986, yn dathlu degawd o gydweithio braf.

> fod sglein ar yr achos. Profodd llwyddiant gweithgareddau'r dathlu fod yna o hyd yn Seilo 'Galon i Weithio', a thra y pery felly, bydd eto yn y dyfodol gofio a dathlu yma, a'r cyfan er gogoniant yr Hwn sy'n deilwng o bob 'clod a mawl, a pharch a bri'.

Digwyddiad mwyaf cofiadwy yr wythnos oedd cyhoeddi *Calon i Weithio, Trem ar Hanes Eglwys*, Caernarfon gan William Gwyn Lewis, un o blant yr eglwys ac un o'r cefnogwyr gorau a gafodd hi erioed. Meddai wrth gyflwyno'r gyfrol:

> A minnau wedi fy magu yn Seilo, fe'i hystyriaf hi'n fraint ac yn anrhydedd o'r mwyaf cael

cyflwyno'r llyfryn [cyfrol] hwn i'ch sylw. Y mae gan Seilo le agos a chynnes iawn yn fy nghalon ac 'rwy'n ddyledus dros ben iddi am gynifer o bethau a dderbyniais trwyddi. Fe'i cyfrifaf hi'n anrhydedd fy mod wedi cael gwasanaethu fel organydd ynddi am dros ddeng mlynedd ac fel blaenor am bedair. Derbyniais yn helaeth o goffrau Seilo; dim ond gobeithio y bydd y llyfryn hwn yn codi'r llen ar y cyfoeth a fu ganddi i'w gynnig ar hyd y blynyddoedd ac y bydd yn gyfrwng i mi gychwyn mynegi fy ngwerthfawrogiad o'r hyn a fu Seilo erioed i mi.

Noson cyhoeddi *Calon i Weithio* yn 1986; ar y dde, W. Bleddyn Williams, Ysgrifennydd yr eglwys ar y pryd, ac ar y chwith iddo W. Gwyn Lewis, yr awdur a'r Ysgrifennydd presennol.

Lletya angel, yn ddiarwybod

Roedd yr angel hwnnw, mi gofiaf, yn smociwr na fu ei debyg. Oedodd arogl mwg y Benson and Hedges yn ein tŷ ni am ddyddiau lawer; ar y llaw arall, arhosodd atgofion am ei bresenoldeb yn ein meddyliau ni hyd heddiw. O ran ei gorff a'i wisg, wedyn, edrychai'n gwbl wahanol i'r ddelwedd arferol o angylion – rheini'n ysgafn, ehedog a gwyn eu gwedd. Roedd o'n horwth, chwe troedfedd a mwy, ac mewn siwt o frethyn Donegal – un werdd os cofiaf. Gordon Wilson, 1927–1995, oedd y gŵr hwnnw.

Wrth ochr Gordon Wilson, y cymodwr, yn Festri Salem, Caernarfon, 5 Mai 1993.

Ar 8 Tachwedd 1987, a hithau'n Sul y Cofio, roedd tyrfa wedi hel at ei gilydd o amgylch Cofeb y Milwyr yn Enniskillen yn Swydd Fermanagh yng Ngogledd Iwerddon. Safai Wilson a'i ferch, Marie – a oedd yn nyrs wrth ei galwedigaeth – tua 40 troedfedd oddi wrth y gofeb yng nghysgod hen ganolfan gymdeithasol. Am 10.43 union, ffrwydrodd bom 40 pwys roedd selogion yr IRA wedi ei gosod yn yr hen adeilad a chladdu'r ddau ohonyn nhw dan domen o gerrig a rwbel a llwch. Y frawddeg olaf a lefarodd Marie, cyn gollwg ei law a llithro i anymwybyddiaeth lwyr oedd, 'Dad, dw i yn dy garu di'n fawr iawn.' Bu hi farw yr un diwrnod yn yr ysbyty lleol yn 20 mlwydd oed. Meddai Wilson:

> She held my hand tightly, and gripped me as hard as she could. She said, 'Daddy, I love you very much.' Those were her exact words to me, and those were the last words I ever heard her say. But I bear no ill will. I bear no grudge. Dirty sort of talk is not going to bring her back to life. She was a great wee lassie. She loved her profession. She was a pet. She's dead. She's in heaven and we shall meet again. I will pray for these men tonight and every night.

'Fydda i ddim yn dangos drwgdeimlad . . . Fydda i ddim yn dal dig.'
— Gordon Wilson

Yr un diwrnod, yn ddiweddarach ar y dydd, wedi cael rhoi ei ysgwydd yn ôl yn ei lle ac esmwytho ambell friw cafodd Gordon Wilson ddychwelyd adref yng ngofal ei wraig. Dechreuodd y tŷ lenwi gyda theulu, cymdogion a ffrindiau a oedd am fynegi eu mawr gydymdeimlad. Yn hwyrach ar y noson aeth Gordon allan o'r tŷ i gael tawelwch i feddwl am faint ei golled, a chael cegaid o awyr iach (a mygyn o bosibl) yr un pryd. Dyna'r foment y daeth tîm o adran

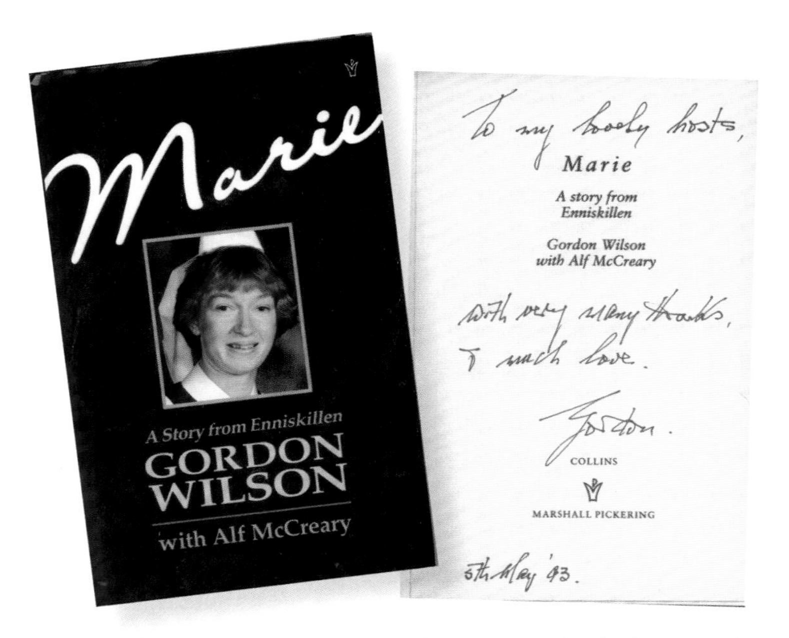

Wyneb ddalen y gyfrol anrheg a fawr drysoraf.

newyddion y BBC ym Melfast i'w gyfarfod. Roedd y cynhyrchydd, Charlie Warmington, wedi ei fagu hanner milltir i ffwrdd.

Bellach, ystyrir yr ychydig frawddegau byrfyfyr a lefarodd Wilson yn ystod y cyfweliad fel geiriau mwyaf cofiadwy Helyntion Iwerddon 1968–1998. Dwy frawddeg yn arbennig felly; o'u rhydd-gyfieithu: 'Fydda i ddim yn dangos drwgdeimlad' a 'Fydda i ddim yn dal dig.' Yn wir, bu'r cyfweliad-ar-y-foment hwnnw, meddir, yn sbardun i gychwyn y newid hinsawdd a ddaeth i fod yn nes ymlaen. Yn dilyn darlledu'r cyfweliad fore trannoeth dechreuodd cwmnïau teledu a gorsafoedd radio o bedwar ban byd dyrru i Enniskillen i chwilio am y gŵr a lefarodd

‘Peidiwch ag anghofio lletygarwch oherwydd trwyddo mae rhai, heb wybod hynny, wedi rhoi llety i angylion.’
— Llythyr Paul at yr Hebreaid

air yn ei bryd a gwneud hynny gyda’r fath ddylanwad.

Dros nos, bron, daeth perchennog siop ddillad, un deuluol, ar y Stryd Fawr yn Enniskillen yn enw rhyngwladol – heb chwennych hynny mewn unrhyw fodd. Yn wir, unwaith ar y rhaglen radio *Today* ar Radio 4 fe’i henwebwyd yn ‘Ŵr y Flwyddyn’, ar y blaen i Mikhail Gorbachev a Terry Waite.

Wedi’r trychineb, anfonodd Eryl Edwards a’i ddosbarth ysgol Sul yn Llanuwchllyn gerdyn cydymdeimlad at y teulu yn eu hiraeth, a chreu perthynas. Yn sgil hynny, ymwelodd Wilson â Chymru yn niwedd Ebrill a dechrau Mai 1993 i hyrwyddo’i genhadaeth heddwch. Erbyn hynny roedd ei gyfrol, *Marie, a story from Enniskillen*, ar y farchnad, wedi ei llefaru wrth Alf McCreary – newyddiadurwr ac awdur prysuraf Gogledd Iwerddon ar y pryd. Ar ei ffordd yn ôl i’r porthladd yng Nghaergybi daeth i Gaernarfon a threfnwyd iddo gael annerch rhai a fyddai â diddordeb, sesiwn yn y bore ac un arall yn yr hwyr. Er na chododd o mo’i lais na dangos gormod emosiwn bu’n noson a arhosodd yng nghof rhai o bobl Caernarfon a’r cylch gydol y blynyddoedd hyd heddiw.

Soniodd fel y bu iddo gyfarfod sawl tro ag aelodau Sinn Féin ac â chynrychiolwyr yr IRA, yn ogystal â’r Teyrngarwyr a oedd ar yr ochr arall. Brwydrodd i geisio'u perswadio i newid eu dulliau o ymgyrchu, ond yn gwbl ofer. Yn wir, fe aeth hi mor ddiweddar â Sul y Cofio 1997 cyn i Gerry Adams, Arweinydd Sinn Féin, ymddiheuro'n swyddogol am y ffrwydriad enbyd hwnnw yn Enniskillen. Yn anffodus, roedd Gordon Wilson erbyn hynny yn ei fedd. Bu 11 i gyd farw o ganlyniad i'r ffrwydrad, clwyfwyd 64 a bu un truan – ysgolfeistr lleol, yn ôl Wilson – yn anymwybodol am 13 o flynyddoedd.

Y Senator Gordon Wilson a'i wraig Joan.

Serch ei fod yn ddinesydd o Ogledd Iwerddon, yn Brotestant pybyr, cafodd wahoddiad i fod yn aelod o Senedd Iwerddon, y Seanad Éireann. Diddorol oedd ei glywed yn sôn amdano'i hun yn eistedd mewn fforwm yn Nulyn, ddeufis wedi i ymgyrchu'r IRA ddod i ben, ochr yn ochr â chynrychiolwyr Sinn Féin. Pan gododd ar ei draed i apelio am heddwch parhaol, neidiodd y gynulleidfa ar ei thraed a dechrau curo dwylo.

Sgwrs lai dwys fu hi wrth y bwrdd swper yn ein tŷ ni ond nid un arwynebol o bell ffordd. Bu'n gyfle i sôn am ei wraig, Joan, a oedd yn athrawes cerdd, a'u plant, Peter a Julie Anne, a'u rhagoriaethau hwythau. Nid fod atgofion am Marie, bach y nyth, unrhyw amser ymhell o'r ymgom: yn gerddorol fel ei mam a hoff o chwaraeon, yn annwyl a phenderfynol, yn ddireidus ac eto ganddi ei gwerthoedd.

Ar Ddydd y Cofio 1997 fe ymddiheurodd Gerry Adams, arweinydd Sinn Féin, yn ffurfiol am y bomio yn Enniskillen.

Soniodd Gordon am ei fwriad, unwaith, i ymfudo dros y cefnfor i'r Alban, 'o sŵn y storm a'i chlyw' ond ei wreiddiau wedi gwrthod codi. Eto, roedd yna ddoniolwch i'w rannu serch y gwrthdaro i gyd. Ar silffoedd siop ddillad Wilson ar y Stryd Fawr yn Enniskillen roedd yna festiau a thronsiau o wlân oen ar gyfer oerni cefn gaeaf wedi eu mewnforio o Swydd Efrog. Ond gan fod Jac yr Undeb ar gefn fest a thrôns gwrthodai Pabyddion eu prynu a mynd am rai teneuach. Ar ôl i Gordon brynu rhai o'r un deunydd yn union, ond gyda 'Made in the Republic of Ireland' ar eu cefnau, daeth y Catholigion yn gwsmeriaid y gwlân oen unwaith eto a'r Protestaniaid, bellach, yn mynd am y deunydd teneuach.

Do, cafodd Wilson fyw i weld y nos yn dechrau ffoi a'r haul yn codi draw ond aeth ei haul o dan gwmwl serch hynny. Bu farw wedi trawiad ar y galon yn 67 mlwydd oed yn 1995 a'i unig fab, Peter, wedi ei ladd mewn damwain car ychydig fisoedd ynghynt.

A sôn am 'roi llety i angel', awdur y Llythyr at yr Hebreaid yn y Testament Newydd piau'r syniad. Meddai wrth ei ddarllenwyr, 'Peidiwch ag anghofio lletygarwch oherwydd trwyddo mae rhai, heb wybod hynny, wedi rhoi llety i angylion.' Felly fu ein hanes ninnau fel teulu, serch tarth y Benson and Hedges.

Theatr Ieuenctid Anni Meth

Erbyn dechrau'r Nawdegau, roedd Cwmni'r Gronyn Gwenith wedi bod yn perfformio pasiantau yn flynyddol yn Theatr Seilo ers yn agos i 15 mlynedd. Dyna'r pryd y ffurfiwyd Cwmni Theatr Ieuenctid Anni Meth. Fel hyn y cofnododd y bobl ifanc y stori honno. Roedden nhw ar frys gwyllt, mae'n amlwg; yn union cyn camu i'r llwyfan i berfformio am y waith gyntaf a heb amser, hyd yn oed, i roi rhai collnodau i mewn:

Annibynwyr Methodistiaid ydi o i fod go-iawn . . .

> Ma Cwmni Theatr Ieuenctid Anni Meth (Annibynwyr Methodistiaid ydi o i fod go-iawn) yn swnio'n posh ond dydan ni ddim, wir. Pwy ydan ni, ydi pobol ifanc o G'narfon sy'n dal i fynd i capal, ia – naill ai i Salem ne i Seilo – ac yn perthyn i glwb pobol ifanc yn un o'r ddau le. (Rydan i'n meddwl rŵan ma un clwb fydd na o hyn mlaen.)
>
> Ma'r Parchedigion – Harri Parri a Ronald Williams, a Dafydd Hughes erbyn hyn – yn deud ein bod ni'n bobol ifanc fath â bob pobol ifanc arall, yn naturiol rhai'n fwy clyfar na'r lleill, yn rai ofnadwy o siaradus ond wedi enjoio'r oriau a'r oriau o ymarfar. Fydda neb yn

CWMNI THEATR IEUENCTID
ANNI METH
Ieuenctid o eglwysi Salem a Seilo
YN CYFLWYNO
Crist yw'n Prins
Sioe lwyfan yn seiliedig ar Efengyl Marc
THEATR YSGOL GLAN CLWYD
NOS SADWRN, 19 MEDI, 1992
PRIS: 20c

Actorion/Cantorion
NIA GRISDALE
BETHAN HUGHES
SIAN WYN HUWS
ELEN WYN JONES
LYNNE JONES
ANGHARAD LLWYD
CATRIN MELERI
LLINOS MORGAN
LOWRI MORGAN
SIONED OWENS
ELEN PRYTHERCH
BETHAN ROBERTS
ELEN ROBERTS
LEUSA SION
ANGHARAD THOMAS
CATRIN THOMAS
ERICA LOUISE WILLIAMS
HAF WILLIAMS
MERERID MAIR WILLIAMS
GWYN PEREDUR AB ELWYN
ARWYN FRETWELL
DYLAN JONES
SION PRYS LLWYD
GERALLT PARRY
RHYS ROBERTS
RHODRI STEFFAN
MATHEW THOMAS
SION WILLIAMS
PEREDUR WILLIAMS
Portreadir Iesu gan
SION SALISBURY

Awdur
HARRI PARRI
Cyfarwyddwyr:
HARRI PARRI
J. RONALD WILLIAMS
Trefnydd Cerdd
OWENNA WILLIAMS
Tim Cynhyrchu
DAFYDD HUGHES
GLENYS TRAINOR
RHIAN WILLIAMS
HELEN JONES
EMRYS THOMAS
Cyfeiliant
GARETH HUGHES JONES
OWENNA WILLIAMS
Goleuo
ALWYN EVANS
ARTHUR BARLOW PARRY
MALDWYN FRETWELL
HUW TRAINOR
Sain
GERAINT M. EVANS
ALED DAVIES
Rheolwyr Llwyfan
EDWARD AUBREY
CLEDWYN WILLIAMS
Trefnwyr Llwyfan
JOHN WILLIAMS
R. J. LLOYD WILLIAMS
Dilyniant
NAN PARRI
Cynllunydd y Logo
BETHAN ROBERTS
Llywydd
J. RONALD WILLIAMS
Trysorydd
VERA PRYTHERCH
Ysgrifennydd
DAFYDD HUGHES

colli os na fydda fo yfo niwmonia! Criw Seilo gafodd y syniad a hynny am bo nhw'n flin.

Da chi'n gweld, tua hannar blwyddyn yn ôl roedd yna basiant mawr yn y Theatr, a doedd na ddim rhan yn hwnnw i bobl ifanc deuddag a thair ar ddeg oed ac mi euthon nhw at y Gwnidog i gwyno. Ac yn wir i chi, mewn munud gwan, dyma fo'n addo sgwennu sioe lwyfan yn sbesial i bobol ifanc a'i galw hi'n Crist yw'n Prins. (Mae o'n deud ma ryw 'Ficar Prichard', odd yn byw tua thri chan mlynadd yn ôl, piau'r lein.)

Rŵan, ma Gwnidog Seilo yn ffrindia hefo Gwnidog Salem – o leia ma' nhw'n tynnu coesa'i gilydd rownd y rîl, ac os bydd un ohonyn nhw'n rhoi row i ni am siarad ma'r llall yn cytuno efo fo bob tro. Ac mi roedd Gwnidog Seilo'n gwbod bod criw Salem yn grêt am ganu, a bod yna un grêt yn'u dysgu nhw, Musus Owenna Williams, ac felly dyma'r ddau'n planio petha efo'i gilydd.

Ew, da ni'n falch bod hyn di digwydd, ac wedi mwynhau, a ddim yn gwbod sut i ddechra diolch. Deud ma'r gweinidogion ein bod ni wedi dysgu stori'r Arglwydd Iesu Grist heb wbod hynny ac y bydd y peth yn brofiad gofiwn ni am byth. Rhaid i ni i sgidadlo hi rŵan, i ni gal newid i'r crysa-ti crand sgynnon ni. Hwyl!

Yn naturiol, ac o orfod, cymysgedd oedrannau fyddai yn y pasiantau: yn ymestyn o ychydig blant, ychydig o bobl ifanc, mwy o rai canol oed a nifer o rai ar eu pensiwn; yn groestoriad o gymdeithas, fel cymdeithas y cyfnod y byddem ni yn ei bortreadu ar y pryd. Fodd bynnag, roeddwn i'n fwy na balch bod y 'cwyno' hwnnw wedi digwydd a'n bod ninnau gyda chyfle a chyfleusterau i gwrdd â'u gofyn nhw. Er bod fy negawd olaf i fel gweinidog wedi dechrau, roeddwn i'n dal i gredu bod mentro ac arbrofi'n werthfawr o hyd, a bod pobl ifanc tu hwnt i bris.

Crist yw'n Prins oedd sioe gyntaf Cwmni Anni Meth. Na, doedd sgwennu'r sgript honno ddim yn

'Rŵan, ma' Gwnidog Seilo yn ffrindia hefo Gwnidog Salem – o leia ma' nhw'n tynnu coesa 'i gilydd rownd y rîl.'

Halibalŵ yn Horeb – a'r crysau-T crand 'ma am y tro cyntaf!

waith anodd i mi. Pa ddeunydd gwell i ddrama lwyfan na chynnwys Efengyl Marc gyda gwyrth a dameg a thyrfa, i ddiweddu hefo hylltod y croeshoelio a rhyfeddod yr atgyfodiad? Roedd yn rhaid, wedyn, wrth feirdd a cherddorion i droi'r sgript yn sioe a chymorth technegwyr a chynhyrchwyr, sain a chyfeiliant i droi'r cyfan yn berfformiad.

Ond mor bell ag roedd perfformio ar lwyfan yn y cwestiwn y bobl ifanc frwdfrydig, dros 30 ohonyn nhw, a drodd y dŵr yn win. Yn ôl y wasg, daeth yn agos i naw cant o gynulleidfa i wylio'r tri pherfformiad cyntaf. Yn wir, fe drodd y perfformiad i fod yn addoliad, cyfoes ei idiom a chenhadol ei apêl. Dyna braf oedd gweld y gynulleidfa, y tair noson, wedi golygfa'r Atgyfodiad, yn codi ar ei thraed i ymuno yn y sigl a'r ddawns a chanu ei hochr hi arwyddgan y sioe, yr emyn a gyfansoddodd Dafydd Hughes:

Fe ddaeth Iesu i'n dysgu sut i fyw'n gytûn,
Trwy ei ddilyn, heddiw, fe ddown ni yn un:
Dewch i ganlyn Iesu, dewch i gyd, bob un,
Iesu Grist yw'n Prins.

Cytgan
Ein tywysog ydyw Ef,
Gwir Dywysog Teyrnas Nef;
Curwch ddwylo, clywch ein llef,
Iesu Grist yw'n Prins.

Rhoddodd Iesu ei fywyd i ni gael byw
Ac mae'n galw heddiw, 'Ceisiwch Deyrnas Dduw';
Rhowch eich hunain iddo, yn ei law mae'r llyw,
Iesu Grist yw'n Prins.

Y mae Ysbryd Iesu'n fwy na grym y byd,
Y mae'n gweithio'n ddirgel ynom ni o hyd:
Rhowch eich calon iddo, rhowch eich hun i gyd,
Iesu Grist yw'n Prins.

Ar ôl y galw am berfformiad ychwanegol *arall* yng Nghaernarfon, fe deimlodd y tîm cynhyrchu fath o ddyletswydd i fynd â'r sioe ar grwydr – faint bynnag

Canu'r fawlgan 'Iesu Grist yw'n Prins' i gloi'r perfformiad a'r gynulleidfa ar ei thraed – fel bob amser.

y gost. A'r actorion ifanc uwchben eu digon ac yn ysu am gael dechrau trampio. Dyna fu'r patrwm wedyn: sioe newydd bob dwy flynedd – megis *Halibalw yn Horeb*, *Y Golau sy'n Fflachio*, *Y Rocar* a *Symud Ymlaen* – a mynd â nhw ar daith.

Sioe gerdd, o fath, ydi *Y Rocar* yn portreadu bywyd Simon Pedr fel mae'r hanes hwnnw wedi'i gofnodi yn y Testament Newydd. Ond bod yna ymdrech i ailddweud yr hen, hen stori mewn idiom gyfoes a chyda'r brwdfrydedd hwnnw na all neb ond pobl ifanc ei gynhyrchu a'i gynnal. Wrth gwrs, mae'r enw yn fwriadol, ddeniadol gamarweiniol! Ffurfiwyd y Cwmni yn ôl yn 1992 gyda'r bwriad o ddysgu cynnwys y Beibl i bobl ifanc mewn dull oedd yn ddiddorol a gwahanol o ran profiad iddyn nhw yn ogystal â chael perfformio, wedyn, o dan amodau theatr. Gyda'n sioeau eraill buom yn crwydro Cymru. Mae yna bobl ifanc, coeliwch neu beidio, sy'n barod i ddweud i rai o sioeau'r gorffennol roi profiad arbennig iddyn nhw a'u bod hwythau, erbyn hyn, yn barod i gyffesu mai Crist yw 'Mab y Duw byw.' I ddyfynnu slogan o fyd hysbysebu: *Coming soon to a cinema near you!* — O'r *Tyst*

Gyda llaw, *Symud Ymlaen* ym Mehefin 2000, pan ymwelodd Undeb yr Annibynwyr Cymraeg â Chaernarfon, oedd y sioe olaf i Gwmni Anni Meth. Erbyn hynny, roedd yna do newydd o bobl ifanc ar y llwyfan. Er enghraifft, 15 oed oedd Mererid Mair – sy'n weinidog yn y dref erbyn hyn – pan berfformiwyd *Crist yw'n Prins*; pan lwyfannwyd *Symud Ymlaen*, hi oedd awdur y sgript ac yn gyfrifol am y gerddoriaeth.

Fyddai Anni Meth ddim wedi dod i fod heb gydweithio dwy eglwys, dau weinidog a'u gwragedd. A fyddai'r teithio a fu o Gaergybi i Gaerdydd, yn llythrennol felly, ddim wedi bod yn bosibl heb ewyllys da nifer fawr o gefnogwyr. A beth am ganiatâd y rhieni a ymddiriedodd eu plant i'n gofal? Yna, y tîm mawr o dechnegwyr a gofalwyr a deithiodd gyda ni i bob sir o'r bron, heb gyfri'r gost. Heb sôn am aelodau'r eglwysi, ledled Cymru, a agorodd ddrysau eu hadeiladau, a'u cartrefi yn aml iawn, i'n croesawu.

Yn ystod gwyliau'r Pasg cerddodd 23 o bobl ifainc o Gaernarfon i'r Bala – 46 o filltiroedd maith. Bwriad y daith oedd casglu arian ar gyfer Canolfan Ieuenctid Coleg y Bala.

Roedd y daith yn cychwyn o flaen capel Seilo am naw o'r gloch fore Iau dan ofal Mr Dafydd Hughes a oedd yn cerdded bob cam. Cerdded i Lanberis ac yna dros y Bwlch i lawr yn ôl i Gapel Curig cyn gorffen am y dydd ym Metws-y-coed. A braf oedd cael cyrraedd ein gwesty am y noson coeliwch chi fi. Festri capel ydoedd a phawb yn dewis ei sgwâr ei hun o'r llawr ac yn gwneud y gorau ag y gallai o'r caledwch anghysurus. Efallai y dylaswn fod wedi dweud nad y cerddwyr oedd yn gorfod cario eu paciau oherwydd roedd y Parch Harri Parri a Mr Ioan Hughes wedi gwirfoddoli – na, nid i'w cario ond eu cludo mewn ceir.

Fore Gwener, dyma ailddechrau cerdded a golwg dorcalonnus ar wyneb ambell un. Rhwng y cerdded a rhialtwch y noson gynt doedd yna ddim nerth ar ôl i gerdded. Ond heb rwgnach dim rhoesom ein trwynau ar y maen a'i dartio hi am y Bala. Cerdded dros fryn a dyffryn a chors anobaith hefyd nes o'r diwedd cyrraedd y Bala. Cawsom groeso brwd a chyfle i drochi ein traed mewn dŵr poeth a halen gan geisio darganfod, yr un pryd, pwy oedd â'r swigod mwyaf. Roedd yn galondid mawr cael clywed fod £600 wedi ei gasglu ar gyfer y coleg a phawb wedi cael mwynhad yn ei gasglu (£200.50 gan bobl Caernarfon) Diolch yn gynnes i bawb o'r aelodau am ein cefnogi. — Gwenith Hughes yn *Y Bont.*

Y beicio hwnnw i Dyddewi

Os cafodd cerdded Llwybr Clawdd Offa beth sylw cafodd y beicio hwnnw i Dyddewi fwy fyth. 'Charity on wheels' oedd un pennawd papur newydd y tro yma. Unwaith eto, bu diddordeb y cyfryngau yn y fenter, gydag ambell bennawd pryfoclyd, yn hwb i yrru'r stori ar led ac i gael pobl i gefnogi – o'u gwirfodd. 'Sermon in the Saddle' oedd pennawd llythrennau bras y *Daily Post*. Aeth y *Gwyliedydd*, newyddiadur yr Eglwys Fethodistaidd yng Nghymru, dros ben llestri (chwarae teg iddyn nhw) a chynnwys naw o luniau ar un dudalen.

Yng ngwanwyn 1988 roedd Ysbyty Bryn Seiont, eto fyth, angen arian i brynu bws-mini newydd – un wedi ei addasu ar gyfer yr anabl: dyma fyddai'r unig gyswllt â'r byd tu allan i'r rhai a oedd yn gaeth i'r ysbyty. Gan i gerdded Llwybr Clawdd Offa godi

Ni a'n cefnogwyr.

swm sylweddol dair blynedd ynghynt gofynnodd Cyfeillion yr Ysbyty a allai Erfyl Blainey a minnau feddwl am antur arall – un wahanol.

Arthur Rowlands â'i bwys ar y tandem benthyg a Gerald Williams, *y Daily Post*, yn holi; y ddau'n flaenoriaid yn eglwys Seilo yn ogystal.

Gan mai cerdded fu hi'r tro cyntaf gwawriodd y syniad y gallai taith feicio noddedig fod yn opsiwn. Wedi peth cysidro, penderfynwyd y gallai seiclo ar hyd un o lwybrau cerdded Gerallt Gymro apelio at rai. Gwerthu'r syniad i weinidogion ac eglwysi'r dref fu'r dasg gyntaf a chaed cefnogaeth frwd. Yna, ehangwyd pethau. Yn y diwedd, ffurfiwyd timau o bobl o wahanol alwedigaethau i farchogaeth tua 100 milltir yr un a hynny dros ddeuddydd ac felly gwblhau'r 600 milltir gofynnol: heddlu, athrawon ysgol, gweithwyr y Cyngor Sir, gyrwyr ambiwlans, nyrsys a meddygon ynghyd â gweinidogion – a oedd yn cynnwys y ficer.

Tîm yr heddlu a gyflawnodd y 100 milltir cyntaf, yn cychwyn o Gaernarfon 27 Gorffennaf 1988 gydag Arthur Rowlands, y plisman a gollodd ei olwg, ar y blaen wrth i'r tîm adael y dref. Dangosodd Arthur frwdfrydedd mawr o'r dechrau un ac apeliwyd yn y wasg am fenthyg beic ar gyfer dau – tandem – a chafwyd mwy nag un cynnig. Roedd un o'r plismyn hefyd, Dennis Kay, yn fwy na pharod i fod yn beilot iddo yn ystod y siwrnai.

O Fachynlleth i Dyddewi oedd y llwybr gosod i

dîm y gweinidogion a lletya dros nos yn y coleg yn Llanbedr Pont Steffan. Y diwrnod cyntaf bu mwy o ar-i-waered nag o dynnu i fyny a'r tywydd yn garedig. 'Gwynt gwynab', chwedl pobl Llŷn, a chawodydd o law oedd hi'r eilddydd a gelltydd lu. Mae gen i gof am un gweinidog, gyda'r ieuengaf, yng nghyffiniau Abergwaun yn gollwng ei hun i orwedd ar ddarn o glawdd – heb ddisgyn oddi ar ei feic – a dweud, 'Ewch chi 'mlân, bois, wy'n marw man hyn.'

Er y beicio ar hyd rhai o lwybrau cerdded Gerallt Gymro, Giraldus Cambrensis, does gen i fawr o gof i ni sôn fawr am y dyn ei hun na thrafod ei gampwaith, *Interarium Kambriae*, 'Hanes y Daith trwy Gymru 1191'. Roedd o, meddir, o dras gymysg, yn hanner Cymro, ond yn ysgolhaig a chwaraeodd

Ar ei chychwyn hi; o'r chwith i'r dde: Barry Thomas, y Ficer, Ronald Williams yr Annibynnwr, Erfyl Blainey o'r Eglwys Fethodistaidd ac un arall!

'Rhyw Sul uwch na'r Suliau oedd . . .'

ran bwysig yng ngwleidyddiaeth eglwysig ei ddydd. Eto, fel llenor mae *Gwyddoniadur Cymru* yn ei ddisgrifio: 'Trwy ei ysgrifennu daw ei bersonoliaeth gymhleth yn fyw – yn ŵr dysgedig, penderfynol a hunanhyderus, ond naïf a hunandybus hefyd; a thrwy'r cyfan yn methu ag ymuniaethu'n llwyr â'r naill elfen na'r llall.' Ysgrifennodd gryn 20 o lyfrau i gyd. Erbyn meddwl, efallai bod canolbwyntio ar y beicio yn ddigon i ni.

Bu'n brofiad a hanner, rhwng gwawr a machlud, rhwng llusgo'r beiciau i fyny'r gelltydd a'i hwylio hi i lawr yr ochr arall, rhwng bod yn un llinell hir gyda'r cryfaf rai ar y blaen a bod yn glwstwr agos i'n gilydd; yn trafod myrdd o bynciau, chwerthin am lu o ddigwyddiadau, herio a chadarnhau ffydd a chred a dadlau am fethiannau a llwyddiannau'r Eglwys Gristnogol.

Nyrsys Bryn Seiont, fel oedd yn weddus, a ddaeth â'r daith i ben a hynny 7 Awst 1988 gyda chost prynu'r bws-mini yn ddiogel yn y banc.

Suliau Pendalar

'Rhyw Sul uwch na'r Suliau oedd,' chwedl un o'n beirdd, ond yn sôn wrth gwrs am brofiad gwahanol. I ddechrau'r stori o'i chwr. Wedi cyrraedd Caernarfon daeth gwahoddiad i mi fod yn un o lywodraethwyr Ysgol Pendalar. Pwyllgora o raid fûm i erioed, nid o ddewis, ond roedd cael bod yn fath o gefn i ddisgyblion ac athrawon Pendalar yn opsiwn gwahanol. Amcan yr ysgol ydi addysgu rhai gydag anghenion arbennig a'u paratoi i fod yn rhan werthfawr o'r gymdeithas a rhoi cyfleoedd i'r gymdeithas eu helpu i wneud hynny.

Roedd y capel yn orlawn, ac fel arfer cawsom gyfle i gydaddoli mewn awyrgylch gynnes, gyfeillgar, drwy gyfrwng gweddi, miwsig a darlleniadau, gyda phlant Ysgol Pendalar a phlant ysgol Sul Seilo yn cydgyfrannu amrywiol eitemau. Bob blwyddyn, yn ddieithriad, bydd un eitem yn ennyn mwy o sylw na'i gilydd, ac eleni'r 'hit' yn ddi-os oedd band taro Pendalar, a'r triawd yn canu i'w gyfeiliant, ac yn ein hatgoffa fod yr Iesu yn 'ffrind i'r lleiaf ac yn frawd i'r gwan'. Daeth oedfa hapus ac effeithiol i ben yn sain arwyddgan y rhaglen deledu boblogaidd *Van der Valk* a'r geiriau 'Hoff yw Iesu o blant bychain', a'r gynulleidfa, law yn llaw, yn ffurfio cylchoedd o amgylch y capel. Y cyffwrdd llaw yn tanlinellu cyfeillgarwch a chynhesrwydd oedfa arbennig yng nghwmni ffrindiau arbennig. Yn dilyn, galwodd nifer yn y theatr am baned o goffi a sgwrs cyn mynd adref. Roedd yr elw yn mynd at brynu petrol i fws mini Ysgol Pendalar.
— Yn *Y Bont*

Plant *cerddorol* Ysgol Pendalar yn niwedd yr Wythegau wedi buddugoliaeth yn un o Eisteddfodau'r Urdd.

Mae'n debyg mai dyna'r cyswllt ddaeth â 'Sul Pendalar' i fod: math o ddigwyddiad unigryw, un arbrofol, yn llithro i fod yn oedfa flynyddol ar fore Sul yn ystod pob mis Mehefin. Tyfu o nerth i nerth fu stori Sul Pendalar o hynny ymlaen.

Un peth gwahanol fyddai maint y gynulleidfa. Yn nhermau byd chwaraeon, dyna 'gêt' gorau'r flwyddyn – o ddigon. Doedd hynny ddim yn anodd, erbyn meddwl: holl ddisgyblion Ysgol Pendalar, eu hathrawon, rhieni a chyfeillion yr ysgol ynghyd ag addolwyr oedfa'r bore a'r myrdd plant, bryd hynny, a fynychai'r Ysgol Sul.

Nid nifer yr addolwyr, fodd bynnag, fyddai'n dyrchafu pethau ond yr awyrgylch arbennig a berthynai i'r addoli hwnnw. Sŵn oedd peth arall. Yn arbennig pan fyddai offerynwyr Pendalar yn bwrw iddi a chynifer ohonyn nhw yn gerddorol wrth reddf. Doedd arwain yr oedfa ddim yn hawdd a'r annisgwyl fyddai'n codi'r to, yn enwedig pan fyddai'r gweinidog yn cael ei roi yn y glorian, a'i gael yn brin.

Nos Fawrth, 3 Chwefror 1981, a Theatr Seilo yn orlawn, cynhaliwyd cyngerdd i gofio Steven John Hughes, 11 mlwydd oed [un o ffyddloniaid yr Ysgol Sul yn Seilo], mab Ann a Raymond Hughes, 32 Maes Cadnant, a brawd Karina. Bu farw Stephen 18 Tachwedd 1980. Y Cadeirydd oedd Bryan J. Jones, Bontnewydd, a'r arweinydd oedd Charles Williams, BBC. Rhoddodd pawb eu gwasanaeth yn ddi-dâl, yn cynnwys Côr Meibion Caernarfon, Parti Eryri, Pedwarawd Offeryn Chwyth Llanrug, Parti Pobl Ifanc Seilo, Leslie Williams, Adroddwr, Richard Hughes, y 'Co Bach', Ann Wyn Jones, Unawdydd, a Bryn Terfel, Pantglas. Yn ystod yr egwyl cyflwynodd y Parch. Harri Parri siec o £675 i Catherine Jones, Prifathrawes Ysgol Pendalar a siec hefyd am £675 i Dr Gareth Parry Jones a'i derbyniodd ar ran meddygon y dref i'w defnyddio i waith ymchwil i'r clefyd Hunter's Syndrome. Gwnaed y trefniadau gan Nan Parri ac Elwyn Robinson. Diolchwyd ar ran y teulu gan Iorwerth Williams, Rhoslan. Mae bedd Stephen ym Mynwent Llanbeblig.
— Yn *Y Bont*

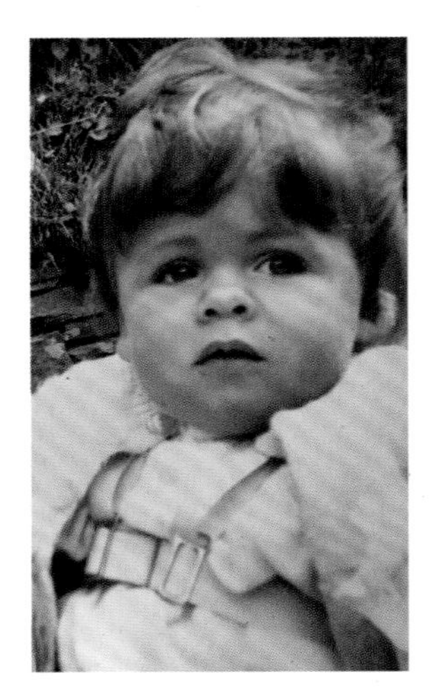

□ Steven Hughes, who died of MPS

Growing reminder of Steven

By Gerald Williams
Daily Post Staff

BITTER-SWEET memories will flood back when Caernarfon couple Ann and Raymond Hughes make a poignant journey to Nottingham on Friday.

Their mission will be to plant an oak tree in Sherwood Forest in memory of their son Steven, who died, aged 11, just over 12 years ago.

They won't be alone. Families from all parts of the British Isles will make the pilgrimage to Sherwood – and more than 150 oak tree saplings will be planted to commemorate children like Steven.

The children were all born with, and died from, one or other of a group of metabolic conditions called Mucopolysaccharide (MPS).

Children born with MPS may show no signs of the disease at birth, but they become more mentally and physically disabled as more cells are damaged.

Every nine days or so in the UK a baby is born with MPS and most die in childhood. There is as yet no cure.

The Society for Mucopolysaccharide Diseases, of 55 Hill Avenue, Buckinghamshire HP6 5BX, supports more than 670 families, and can be telephoned on 0494 434156.

Environment Secretary Michael Howard will inaugurate The Childhood Wood tree-planting scheme in Sherwood Forest with a tree in memory of a boy called Simon Lavery.

The society explains: "The living wood will create a poignant reminder of the children who made significant contributions to research in their lifetime.

"Skin and blood samples provided by these children have recently led to the isolating of the genes for all cloning of several MPS genes and is expected to lead to a first attempt at gene therapy."

Despite the heartache of losing their son, Ann and Raymond Hughes, of Maes Cadnant, Caernarfon, are philosophical.

"We had 10 happy years with Steven before he became seriously ill, and we feel we are better people for having had him," said Mrs Hughes.

"Thankfully his sister, Karina,

Ann a Raymond yn dal i ddathlu bywyd Steven.

Bore Sul, 7 Mehefin 1987, oedd hi a hithau'n Etholiad Cyffredinol y dydd Iau canlynol. Yr oedfa wedi hen ddechrau, yr emyn cyntaf wedi ei ganu a saib defosiynol cyn mynd at ddarllen y Gair pan gerddodd un o'r hogiau i mewn; yn hwyr, braidd, wedi bod yn sgwrsio efo hwn ac arall, mae'n debyg. Dyma fo'n galw fy enw i – nes oedd pob pen yn troi at yn ôl at y drws – a gofyn, 'Ydach *chi*, Harri Parri, am fotio i Dafydd Wigley?' Aeth y lle'n foddfa o chwerthin a fy nghadw innau rhag rhoi fy mhleidlais ar goedd, ymlaen llaw fel petai, yn hytrach nag yn y blwch pleidleisio.

Arwyddair Sul Pendalar oedd geiriau Iesu wrth ei ddisgyblion cyntaf, am ein troi ni i gyd yn blant i ni gael perthyn i'w deyrnas O. A dyna fyddai'n digwydd; ffiniau'n cael eu gostwng ac ymdeimlad o deulu – 'dewch ataf Fi bawb'. Er 2007 mae gan Ysgol Pendalar adeilad newydd, mewn man strategol, drws nesaf bron i'r ysgol gynradd, Ysgol y Gelli, a'r ysgol uwchradd, Ysgol Syr Hugh Owen, ac yn nes fyth at y Ganolfan Hamdden.

Y dall oedd yn gweld

Yn oriau mân fore Mercher, 2 Awst 1961, ac yntau'n blisman ifanc wrth ei waith ar Bont-ar-Ddyfi, saethwyd Arthur Rowlands yn ei wyneb a'i ddallu am ei oes. Fflachiadau'r ergyd honno'n dawnsio i'w lygaid oedd y peth olaf a welodd o. Doedd o ddim i weld ei wraig ifanc, Olive, na'i blant, Carol a Gareth, byth wedi hynny.

Bu farw Robert Boynton, y gŵr a saethodd Arthur Rowlands, yng ngharchar Broadmoor yn 1994. Fe'i hystyriwyd yn droseddol wallgof.

Cafodd Arthur ei fagu, fel y soniai'n aml, ar fferm Wern Biseg, Llidiardau, ym Mhenllyn, yr ail o chwech o blant. Ei gariad mawr yn fachgen ifanc oedd pêl-droed a chafodd gêm brawf, do, efo Man U! Yna, ddiwedd 1946, wedi bod yn was ffarm am gyfnod, ymunodd â Heddlu Sir Feirionnydd – Arthur Rees Rowlands 36. Ar daith bws o Eisteddfod Bae Colwyn 1947 dyma fo'n cyfarfod ag athrawes ifanc o Fryn-coed-ifor ger Dolgellau, Olive Jones, a rhoi ei sedd iddi. Os ydi'r nefoedd yn trefnu priodasau, byddai hon yn enghraifft wiw.

Wrth ei waith ym Mhencadlys yr Heddlu yng Nghaernarfon ac Olloo, y ci tywys, yn gwmni.

Yn dilyn carcharu Boynton – yr un a'i saethodd o – gwella o'i glwyfau, a dygymod â'i ddallineb, cyrhaeddodd Arthur Gaernarfon yn 1963 i fod yn deleffonydd ym mhencadlys yr heddlu. Bron nad oedd o'n 'gweld' lleisiau, meddir. Bu'n batrwm o flaenor yn Eglwys Seilo am dros chwarter canrif gan lywyddu'r oedfa yn ei dro, 'Croeso i'r oedfa bora 'ma. Er na fedra i mo'ch gweld chi.' Byddai rhai'n ddieithriad ar yr union foment yn chwilio am hances boced i sychu deigryn tawel.

Yn un o Adroddiadau'r eglwys cofnodwyd a ganlyn: 'Ar ddiwedd 1985 fe benderfynodd plant a phobl ifanc yr eglwys, eu hathrawon a'u harweinwyr, gychwyn project i brynu ci tywys i'r dall yn enw Capel Seilo. Un nos Fercher fe ddaeth Arthur Rowlands a'i gi, Davy, i'r Clwb Ieuenctid, i roi cic i'r bêl a chychwyn ar y gwaith.'

Yna, stori debyg yn Adroddiad 1990: 'Lansiodd aelodau'r Clwb Ieuenctid a'u tîm newydd o Arweinwyr ymgyrch i brynu ci tywys *arall*. "Seilo" ydi enw'r un a brynwyd yn barod ac mae rhai'n mynnu bedyddio'r un a brynir yn "Seilo Bach"! Gwnaed hyn o barch i ddewrder heintus Arthur Rowlands, un o'n blaenoriaid, ac oherwydd i'w gi tywys, Davy, farw'n gynamserol yn ystod y flwyddyn.' Ac fel petai dau gi ddim yn ddigon, fe aeth pobl ifanc Salem, eglwys yr Annibynwyr, ati i brynu un arall a'i fedyddio'n 'Salem'. Mae lluniau'r cŵn tywys, 'Seilo' a 'Salem' yn dal yng nghyntedd y capel rhwng yr addoldy a'r theatr.

'Wel, pwy ydw i, i gwyno?'
– Arthur Rowlands

Ar lwyfan eithriadol lydan y theatr bu mwy nag un arddangosfa snwcer ac enwogion y gêm, fel Terry Griffiths, yn cael eu gwahodd. Mae gen i gof i Doug Mountjoy a John Spencer dderbyn gwahoddiad felly ac i elw'r noson boblogaidd gael ei gyflwyno i Gymdeithas Cŵn Tywys y Deillion ac Arthur Rowlands yno i dderbyn y rhodd – heb weld y gêm, wrth gwrs, dim ond clywed sŵn y peli'n clecian.

Er gwaethaf y trychineb, neu o'i herwydd, daeth Arthur yn arwr cenedl, i dderbyn pob math o

Clawr *Mae'r Dall yn Gweld*, stori bywyd Arthur Rowlands, Enid Baines, Gwasg Tŷ ar y Graig, 1983.

anrhydeddau – yn cynnwys gradd M.A. Er Anrhydedd gan y Brifysgol ac aelod o Orsedd y Beirdd – a gwneud hynny bob amser gyda gostyngeiddrwydd mawr. Ymroddodd i amrywiol weithgareddau, o gerdded mynyddoedd i bysgota afonydd, o ddilyn rygbi a phêl-droed i actio ar lwyfan Theatr Seilo, hyd yn oed i gyflwyno rhaglenni radio. 'Iawn, Arthur,' meddai Elwyn Jones, y cynhyrchydd, 'ar y golau gwyrdd rŵan.' A'i ateb, 'Dw i'n *colour blind* 'sti!' Datblygodd Arthur sgiliau – o gofio lleisiau i synhwyro pensaernïaeth adeilad. Do, fe darodd Enid Baines ar chwip o deitl i'w chyfrol o atgofion Arthur, *Mae'r Dall yn Gweld*.

Wedi pymtheng mlynedd ar hugain o adnabyddiaeth glòs, a'i gwrdd o'n wythnosol mwy neu lai, rhyfeddwn fwyfwy at ei oruchafiaeth ar ei anabledd. Bu'r fagwraeth dda ym Mhenllyn yn angor iddo, mae'n ddiamau. Yna, cynhaliaeth ei wraig a'i blant: 'Faswn i'n dymuno i bawb gael plant yr un fath â nhw.' Ond bu colli Olive, cannwyll ei lygaid, ddiwedd Ionawr 2005, yn ergyd enbyd iddo.

Fel ei weinidog, welais i erioed ddafn o chwerwedd na hunandosturi yn Arthur – 'Wel, pwy ydw i, i gwyno?' – a'r ddawn i chwerthin am ben ei anffawd ei hun. 'Aros, Arthur, i mi gael fy sbectol!' A'i ateb o i mi, 'Tydi hi'n arw, fi'n ddall a chdithau ddim yn gweld.' A sawl gwaith y clywais i o'n deud am y gŵr saethodd o, 'Petawn i'n ei weld o rŵan mi 'sgydwen i law efo fo, 'sti. Dyn allan o'i bwyll oedd o.' Finnau'n meddwl bob tro am ysbryd Iesu ar ei groes: 'Dad, maddau iddynt, oherwydd ni wyddant beth y maent yn ei wneud.'

'Dyn allan o'i bwyll oedd o . . .
mi 'sgydwen i law efo fo, sti.'

Gadael y dec, methu â chodi'r angor

Os bu i mi roi tro pedol wrth gyrraedd Seilo, Caernarfon, bu'n rhaid i mi gymryd cam chwithig tebyg wrth geisio gadael yr 'hen dre'. Wedi oddeutu ugain mlynedd, bu'n fwriad gen i hwylio i gyfeiriad gwahanol am ychydig flynyddoedd cyn ymddeol.

Yr amcan oedd ymadael i weinidogaethu mewn ardal arall, un gwbl wahanol os yn bosibl, i roi cyfle i rywun arall, ieuengach, lywio'r llong o hynny ymlaen. Yna, ar ymddeol, dychwelyd i Gaernarfon i angori'n derfynol. (Gall cyn-weinidog yn methu â gollwng gafael fod yn hunllef i'w olynydd, er na phrofais i hynny erioed. Nac ymddwyn felly, gobeithio.) Yn annisgwyl, daeth cyfle felly a phenderfynodd y ddau ohonom fel teulu fanteisio arno.

Wedi gollwng y gang planc, a ninnau ar ymadael, daeth anhwylder i olau dydd: un a fu'n gwmni i mi erioed, mae'n debyg, ond na wyddwn ddim byd am ei fodolaeth. Y farn feddygol, arbenigol, gyfrinachol oedd mai annoeth fyddai i mi godi angor; gwell oedi peth a derbyn triniaeth yn yr amser cymeradwy. Ddim yn rhy fuan, oherwydd y peth risg, a ddim yn rhy hwyr oherwydd y mwy perygl.

Prun bynnag, penderfynwyd mai cymryd tro pedol arall a fyddai raid. Arallgyfeirio hwyrach, am ychydig. A hithau'n niwl braidd, wnawn ni fyth anghofio caredigrwydd pobl Seilo, Caernarfon. O wybod nad oedd bwriad, bellach, i symud dyma wahoddiad – heb i mi feddwl am ddim o'r fath – i ddychwelyd i lywio'r llong, unwaith eto, am hynny o flynyddoedd ag oedd yn weddill. Er bod, erbyn hynny, ablach gweinidogion a fyddai ar gael i lenwi'r bwlch. Mae'n debyg mai'r bore Sul y dychwelais i, a'r gymeradwyaeth, dawel, gynnes honno, fu'r unig dro i mi golli deigryn, yn gyhoeddus, mewn oedfa.

Peth braf, ambell dro, ydi cael bod yn neb. Mewn ward arbennig yn Ysbyty MRI, ym Manceinion, wyddai neb o'r staff na'r cleifion pwy oeddwn i nac, ychwaith, beth a fu fy ngalwedigaeth. Wrth gwrs roedd fy enw i, fel un pawb arall, wedi'i sodro uwchben y gwely. Am ryw reswm, roedd f'enw i yn apelio at bobl: am ei fod yn hanner odli o bosibl. Yn wir, roedd yna Indiad, yn y gwely ar draws y gongl imi, wedi mopio efo'r ddau air ac yn galw arna i ddydd a nos, sawl gwaith drosodd: 'Aarri Parri! You are o.k.?' Yn ystod y frwydr, fe ddaeth yna hwdi ifanc i'r gwely ar y chwith i mi. O leiaf roedd ei siaced o wedi'i ffasno at yr ên a chwfl dros ei ben pan gyrhaeddodd o ddrws y ward. Affro-Caribïad tair ar hugain oed oedd o ond wedi'i fagu ym Manceinion. Ond roedd Obed yn wynebu enbyd o lawdriniaeth ac yn fawr ei bryder am ei ddau blentyn bach. Roedd hwnnw, hefyd, yn dalp o anwyldeb ac yn patro f'enw i. Saeson, ond wedi'u weindio yn wahanol iawn i'w gilydd, oedd y pedwar cydymaith arall. O fod yn neb fe ddysgais i lawer. (Os mai adlewyrchu bywyd yn union fel ag mae ydi nod celfyddyd, fel awdur, mi rydw i wedi methu'n llanast.) Fe ddysgais gyfrolau am rasio milgwn a pha geffyl a fyddai wedi bod o'r budd mwyaf i mi yn Haydock. Gofidiau'r daith, mae'n debyg, a barai fod yno ddynoliaeth ar ei dewraf a chymdeithas ar ei gorau. Eto peth brafiach, yn y pendraw, ydi cael bod yn rhywun. Dŵad yn ôl i Gaernarfon lle mae rhai yn fy adnabod i ac yn cofio beth fu fy ngalwedigaeth – er y byddai dau o bob tri, o bosibl, yn anghytuno â'm hargyhoeddiadau i. Roedd y croeso'n ôl i Seilo ac i'r hen dre yn llethol, oedd.

— *Papur Dre*, Ebrill 2007

Y pum gweinidog a'u gwragedd oedd yn aelodau o'r eglwys yn 1985 ac yn gyfeillion agos.

Go brin i'r blynyddoedd yn dilyn weld yr un afiaith ag a fu ac mai'r 'best before', fel ar dun piltsiars neu baced o ham tramor, a'm nodweddai innau yn ystod yr amser a oedd yn weddill.

Fel y deudais i ar y dechrau, cerdded y palmant golau oedd y bwriad, hepgor sôn am y gwaith bob dydd, a gwarchod yn y galon y profiadau dwys rheini a barai i mi dybio, hyd at gredu ar dro, na fu'r llafur ddim yn gwbl ofer. A pheth arall, ofer fyddai i mi sôn am y camau gweigion na bytheirio am y newid byd a ddaeth i fod.

Ym Mehefin 2001 daeth Gwenda Richards yn weinidog eglwys Seilo. Wedi iddo gael ei wrthod yn ei gynefin fe ddywedodd Iesu, a dyfynnu'r cyfieithiad diweddaraf, fod 'proffwyd yn cael ei barchu ymhobman ond yn y dre lle cafodd ei fagu'. Arall fu profiad Gwenda. Yng Nghaernarfon y cafodd hi ei magu a'r lle dychwelodd, yn nes ymlaen, i fod yn athrawes. Yn yr Wythdegau teimlodd alwad i fod yn weinidog a chael hyfforddiant ar gyfer y gwaith. Bu ei theulu'n aelodau selog yn eglwys Engedi a gweinidogaeth y Parch Trefor Jones yn ddylanwad arhosol arni.

I mi, nodweddion pennaf ei gweinidogaeth oedd bugeilio tyner, paratoi trwyadl, pregethu'n goeth a rhagori ar bawb ohonom mewn defosiwn. Yn ystod ei bugeiliaeth hi y dechreuwyd yr arfer o roi traen neu hanner elw pob digwyddiad i gasglu arian at yr eglwys at waith dyngarol. A thaffi triog a phwdin Dolig Gwenda'n chwyddo'r elw! Bu Elwyn, ei gŵr, a hithau yn weinidogion ym Mhorthmadog i ddechrau. Yn 2015, wedi cyfnod fel athro a hyfforddwr ymgeiswyr am y weinidogaeth, derbyniodd alwad i fugeilio eglwys Berea Newydd ym Mangor a dwy eglwys gylchynol. Gwerthfawrogais yn fawr ei charedigrwydd yn fy nghymell i ddal ati gyda'r pasiantau blynyddol. Hi, o hynny ymlaen, fyddai'n bywiogi'r gynulleidfa ar ddechrau pob perfformiad gyda gair o groeso. Pechod, posibl, cyn-weinidog ydi methu â chodi'r swch o'r pridd a rhychu arni fel o'r blaen. Ymdrechais i beidio â gwneud hynny a bod o gymorth pan fyddai galw. Bellach mae hithau wedi 'gollwng y gang planc' ac ymddeol yn ei hoff dref.

Kitty Roberts; un oedd â chalon i weithio, os bu un erioed, yn dathlu ei phen-blwydd yn 95; gweddw i weinidog. Hunodd â'i meddwl yn glir, 13 Ionawr 2016, yn 106 mlwydd oed. . . .

O hel meddyliau, un o wefrau mwyaf blynyddoedd Caernarfon i mi oedd llwyddiant annisgwyl Cwmni Theatr Ieuenctid Anni Meth, slawer dydd, a'r sioe gerdd *Crist yw'n Prins* – serch nad sioe un dyn oedd hi. Braf oedd gweld theatrau llawnion, ledled Cymru, a ninnau yn perfformio stori'r Crist croeshoeliedig y bu i dorfeydd ei ddydd ei wrthod.

Fodd bynnag, treuliais y rhan fwyaf o'm hamser yn hen ffasiwn ddigon hefo'r gymysgedd fel o'r blaen: yn arwain gwasanaethau, 'paratoi ar gyfer y Sul', bugeilio o dŷ i dŷ gan geisio, ar dro, gyfrannu rhyw gymaint i fywyd y dref yn gyffredinol. Bu'n fraint hau'r Gair yn Seilo, fore a nos Sul, a thrafod gwahanol brofiadau ar wahanol aelwydydd. Mae gen i hiraeth parhaol am nifer fawr o'r 300 aelod a mwy a fu farw rhwng dyddiad agor y Seilo newydd a diwedd y ganrif a'r ymddeol.

Ystafell y Gweinidog,
Capel Seilo,

Rhagfyr 1985

Annwyl Gyfeillion,
'Sgwn i faint ohonoch chi fydd yn darllen y llith hon wedi i mi drafferthu ei sgwennu hi? Pe na bawn yn weinidog dyma un o'r pethau olaf fyddwn innau yn ei ddarllen – o ddewis.

Fy nhuedd i a fy nhebyg, wrth sgwennu Cyfarchiad i'r Adroddiad Blynyddol ydi dweud yr un pethau, flwyddyn ar gefn blwyddyn, a hynny gydag idiomau cwbl ddisgwyliedig.

Ond, atolwg, faint o'r newydd sy'n digwydd ym mywyd eglwys? The *mixture as before* ydi hi. R'un ydi'r ddrama wedi bod ym 1985; cymeriadau'r ddrama, yn unig, sy'n newid – pobl wahanol yn wynebu'r un profiadau, a digwyddiadau tebyg yn brofiad i bobl wahanol. Stori ydi hi, eleni eto, am aelodau eglwysig yn aberthu neu'n esgeuluso; yn adfer neu'n colli'u ffydd, yn dal ati'n deyrngar neu'n cilio. 'Run fu fy ngwaith innau a phob gweinidog arall a fu yma o'm mlaen i:

Hau'n ffyddiog ar greigiog ro,
Hau ganwaith heb egino. (Tilsli)

I ni, yma yn Selio, bu '85 yn flwyddyn o basiantau – fe ddaeth y miloedd, yn llythrennol, i'n gwylio ni'n portreadu ein doe crefyddol ar lwyfan. Fe welais i bobl yn cael eu cynhyrfu a'u cynhesu yn ystod rhai o'r perfformiadau, ond pam na ellir gwneud hyn, bellach, o bulpud? Diolch i'r drefn, fe all y theatr fyw fod yn gyfrwng pwerus iawn i bregethu'r Efengyl – heb i'r gwyliwr fod yn ymwybodol o hynny.

I mi (a'r Parch. Erfyl Blainey) fe fu hi, wrth gwrs, yn flwyddyn y cerdded mawr – o Gasgwent i Brestatyn – i hybu gwaith Uned Macmillan, Ysbyty Bryn Seiont. Fe fu ugeiniau ohonoch chi, aelodau, yn cefnogi ac yn cyfrannu ac fe hoffwn i ddiolch o galon i chi am hynny. Ron i'n ystyried y cyfan yn estyniad o'n gwaith ni fel gweinidogion yn y dre a'r cylch.

Bu llawer digwyddiad diddorol arall. Fe ddewiswyd byddin o flaenoriaid newydd, ac yn eu plith y ddwy ferch gyntaf erioed; edrychaf ymlaen am gyfnod o gydweithio â chi a diolch i bawb ohonoch chi am fentro'r cyfrifoldeb. Eleni, am y tro cyntaf er 1976 (ac yn ôl hen Adroddiadau'r capel er 1901) mae Trysorydd yr eglwys yn gwenu. Bu cynnydd yn y cyfraniadau yn ystod y flwyddyn yma ac eleni mae'r blaidd cyfundebol yn gorwedd ymhellach o ddrws y capel.

Ar ddiwedd 1985 fe benderfynodd plant a phobl ifanc yr eglwys, eu hathrawon a'u harweinwyr, gychwyn project i brynu ci tywys i'r dall, yn enw'r capel. Un nos Fercher fe ddaeth Arthur Rowlands a Davy i'r Clwb Ieuenctid, i roi cic i'r bêl a chychwyn ar y gwaith.

Diolch i chi, fel aelodau, am brynu rhai cannoedd o gopïau o'r *Atodiad i'r Llyfr*

Emynau, heb ei weld o. Gobeithio y gallwn ei ddefnyddio'n gyson yn ystod 1986. Go brin y bydd yn gyfrwng diwygiad ond fe all roi ffresni ac amrywiaeth i'n gwasanaethau.

Yn ystod 1986 fe fyddwn ni'n cyhoeddi *Calon i Weithio: trem ar hanes eglwys Seilo* gan W. Gwyn Lewis. Yn fy marn i, mae hon yn gyfrol arbennig o ddiddorol, yn cofnodi'r dwys a pheth o'r doniol yn hanes Seilo a Seilo Bach o'r cychwyn cyntaf, ac yn frith o luniau prin a gwerthfawr. O gofio'r awdur, does dim rhaid i mi ychwanegu i'r stori gael ei chrynhoi'n wirioneddol raenus. Bydd cyfle i aelodau a chyn-aelodau i brynu *Calon i Weithio* yn ystod y flwyddyn.

Wedi dweud hyn i gyd, yr addoli cyson a'r gweithio tawel, y digwyddiadau arferol a'r weinidogaeth seml sydd bwysicaf. Felly, ar ddiwedd 1985, anfonaf gofion cynnes at rai ohonoch chi a gollodd anwyliaid yn ystod y flwyddyn ac at y ffyddloniaid hynny sydd mewn ysbyty neu gartref preswyl neu'n gaeth i'ch aelwydydd. Rwy'n gobeithio galw heibio i chi yn fuan.

— *Y Gweinidog*

Llanw a thrai

Pa waddol a adawyd wrth i mi ymdrechu i gerddded y palmant golau – os gwaddol o gwbl – wn i ddim. Mater i arall ac i eraill fydd hynny. Fe hoffwn i feddwl, gwir neu beidio, fod Eglwys Seilo ar derfyn fy ngweinidogaeth i gyda llai o wahaniaethau dosbarth, llai o sifalri a defodaeth, yn gynhesach cymdeithas ac 'adnabod y Gair' wedi dod yn bwysicach na 'gwybod y geiriau' – er pwysiced hynny. Er mai 'hau'n ffyddiog ar greigiog ro' fu hi, fe hoffwn i gredu fod 'peth had wedi disgyn ar dir da a thyfu'.

Bu'n fraint pregethu'r Gair yn Seilo – fel yn yr eglwysi eraill y bûm yn eu bugeilio – a chael gwneud hynny yn fy null ymgomiol fy hun.

O ran y byw o ddydd i ddydd wedyn, fel ym mhrofiad pawb, gwawr a machlud, nos a dydd, llanw a thrai fu hi. Yn union fel petai'r bardd anhysbys a fu'n rhodio glannau'r Fenai ganrifoedd ynghynt – ddwy noswaith yn olynol, wir – wedi cael yr un profiad:

Un noswaith ddrycinog
    mi euthum i rodio
Ar lannau y Fenai,
    gan ddistaw fyfyrio;
Y gwynt oedd yn uchel,
    a gwyllt oedd y wendon,
A'r môr oedd yn lluchio
    dros waliau Caernarfon.

Ond trannoeth y bore
Mi euthum i rodio
Hyd lannau y Fenai,
tawelwch oedd yno;
Y gwynt oedd yn ddistaw,
a'r môr oedd yn dirion,
A'r haul oedd yn t'wynnu
ar waliau Caernarfon.

Yn ddoniol iawn, yn union wedi mi ddŵad â'r stori i ben a diffodd y cyfrifiadur, roeddwn innau'n cerdded yr harbwr ac yn rowndio'r waliau pan ddaeth yna ddau o 'hogiau dre' ar draws fy llwybr i.

'Asu, neis gwel' chi, ia?' meddai'r cyntaf, yn fy nghofio i, mae'n debyg, o ddyddiau'i blentyndod. Yna, yn fy nghyflwyno i i'w fêt, 'Co capal Mam pan o'n i'n 'ogyn bach, ia?'

Yn wir, roedd yr ail go'n gwybod enwau rhai o gapeli'r dref, 'Capal Salam, ia?' meddai hwnnw.

'Naci,' eglurais, 'Yn Seilo ro'n i'n w'nidog.'

Meddai'r cyntaf, wedyn, 'Neis gwel' chi 'run fath, ia?'

Un o ragoriaethau'r hen dref ydi caniatáu i ddyn fod yn fo'i hun a phawb, at ei gilydd, yn cael ei drafod ar yr un gwastad. Hir y parhao pethau i fod felly.

I'r Parchedig Harri Parri ar ei ymddeoliad

Rhennaist â'r plant gyfrinach – yr ystyr
Sy' Crist a'i gyfeillach,
Gyda'th stôr o hiwmor iach
A'r Gair mewn gwisg ragorach.

Richard Parry Jones yn *Y Goleuad*.

Oriel Atgofion

Y pasiantau yn bennaf . . .

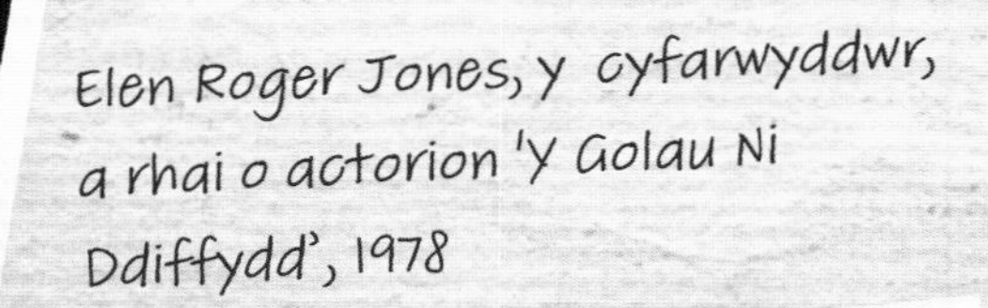

Elen Roger Jones, y cyfarwyddwr, a rhai o actorion 'Y Golau Ni Ddiffydd', 1978

Harri Parri a mul . . . haf 1956.

EGLWYS BRESBYTERAIDD CYMRU
HENADURIAETH DWYRAIN MEIRIONNYDD

Llywydd: Mr J. E. ANWYL, Bala
Ysgrifennydd: Y Parch. S. O. HUGHES, Llanuwchllyn

Cyfarfod Sefydlu

HARRI GWILYM PARRI
B.A., B.D.

(Llangian: o Goleg Aberystwyth)

yn Weinidog ar Eglwysi

LLANFIHANGEL, LLANGWM A THYMAWR

Cynhelir y Cyfarfod yng Nghapel Llangwm
NOS WENER, GORFFENNAF 29ain, 1960

Te Croeso: Rhwng 5.30 a 6.30 o'r gloch
CYFARFOD SEFYDLU: 7.00 o'r gloch

Llywydd y Pwyllgor Bugeiliol:
Mr Norman Evans Llanfihangel

Ysgrifennydd:
Mr John Wynne Hughes, Llangwm

6.—Cyflwyno'r Gweinidog:

Ar ran Henaduriaeth Lleyn ac Eifionnydd:
Y Parch. T. IDAN WILLIAMS, Abersoch
(Llywydd yr Henaduriaeth)

Ar ran Eglwys Smyrna Llangian:
Mr G. IFOR EVANS

Ar ran athrawon y Coleg:
Dr. R. BUICK KNOX, M.A.

Ar ran y Myfyrwyr:
Mr R. J. EVANS, Llangian a
Mr EMLYN RICHARDS, B.A., Botwnog

7.—GWASANAETH SEFYDLU.

Datganiad y Llywydd o bwrpas y Gwasanaeth:

"Cyfarfyddwn yma fel cynrychiolwyr Henaduriaeth Dwyrain Meirionnydd yn Eglwys Bresbyteraidd Cymru ynghyd ag eglwysi yr ofalaeth hon i sefydlu HARRI GWILYM PARRI yn weinidog iddynt a gosod arno'r cyfrifoldeb o gyflawni ei swydd sanctaidd ymhlith y bobl a'i galwodd i'w gwasanaethu yn yr Efengyl".

Galwed y Llywydd y Gweinidog ato ac ar holl aelodau'r Henaduriaeth a fyddo'n bresennol i sefyll. (Gweinidogion a Blaenoriaid yn unig).

Gofynned y Llywydd i Ysgrifennydd yr Henaduriaeth dystio i reoleidd-dra'r alwad.

Etyb yntau: Y mae galwad yr ofalaeth hon i HARRI GWILYM PARRI i fod yn Weinidog arni yn hollol unol â rheolau'r Corff, a chadarnhawyd hi gan yr Henaduriaeth".

Dymchwel Tabernacl
Port ar droad y ganrif

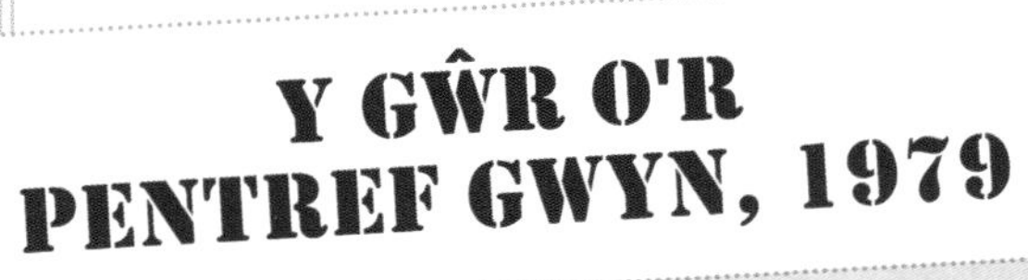

Y BABELL DDUR, 1980

JOHN YN Y DDINAS, 1981

YM MIN Y MÔR, 1982

BARGEN DINORWIG, 1983

TOM NEFYN, 1984

FFYNHONNAU'R GAIR, 1985

YR UTGORN ARIAN, 1986

RHYW YMARFEROL FRAWD, 1987

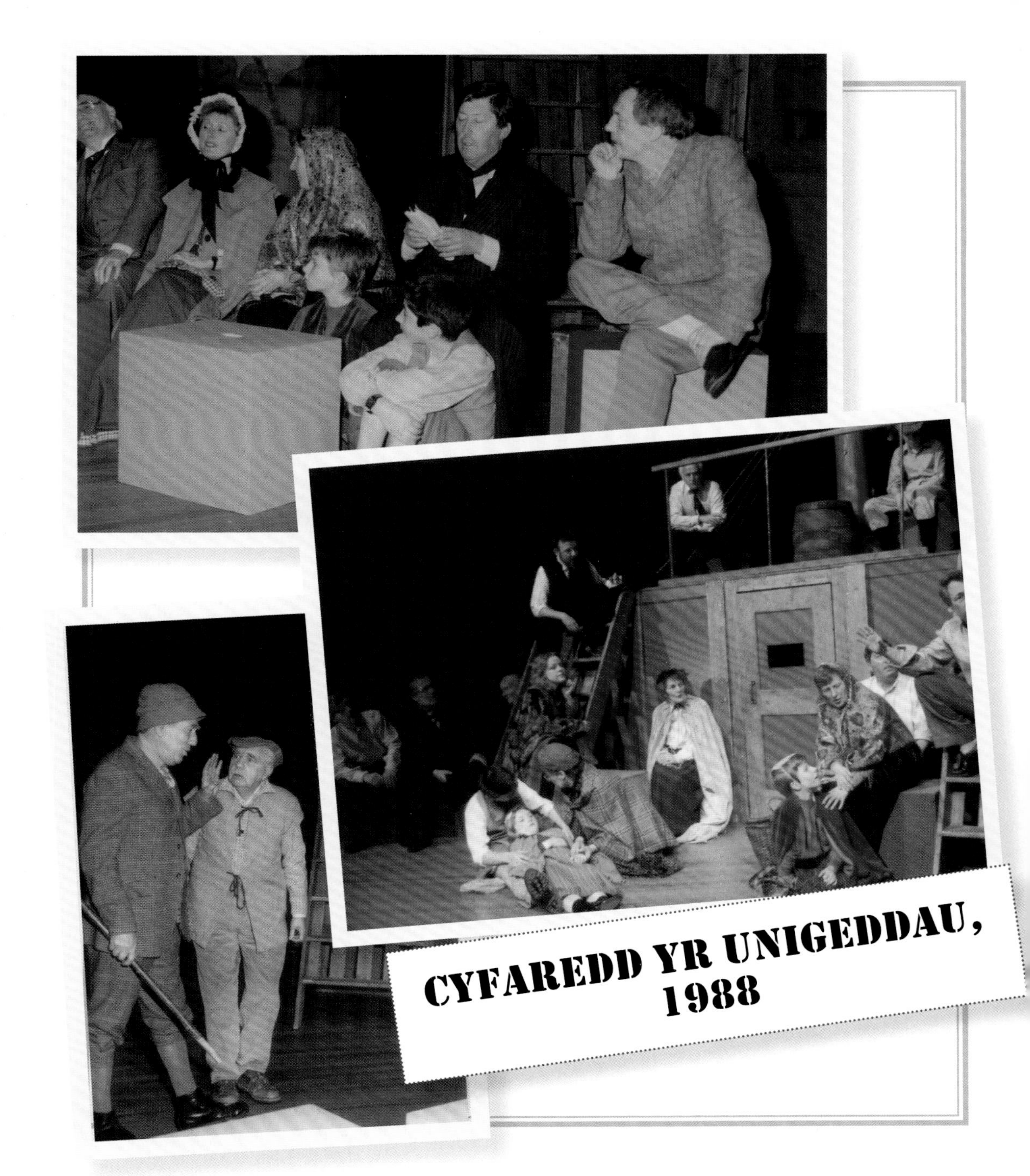

CYFAREDD YR UNIGEDDAU, 1988

GRAS A HOELION CLOCSIAU, 1989

WILLIAM JONES, 1990

GORAU CYFARWYDD, 1991

RHYS LEWIS, 1992

O LAW I LAW, 1993

O'R BALA I'R BALACLAFA, 1994

O'R LÔN FUDR I FOANERGES, 1995

GWEN TOMOS, 1996

POBL YR HALELIWIA, 1997

TYNER YW'R LLEUAD HENO, 1998

GŴR PEN Y BRYN,
1999

Y STAFELL DDIRGEL, 2000

ENOC HUWS, 2002

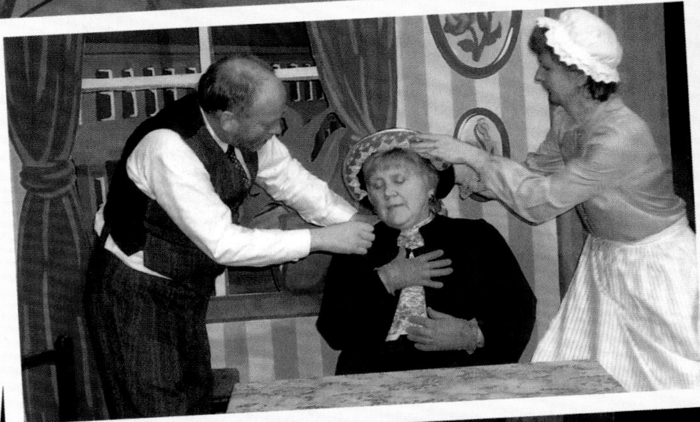

CHWALFA, 2004

ETHOLEDIG ARGLWYDDES, 2005

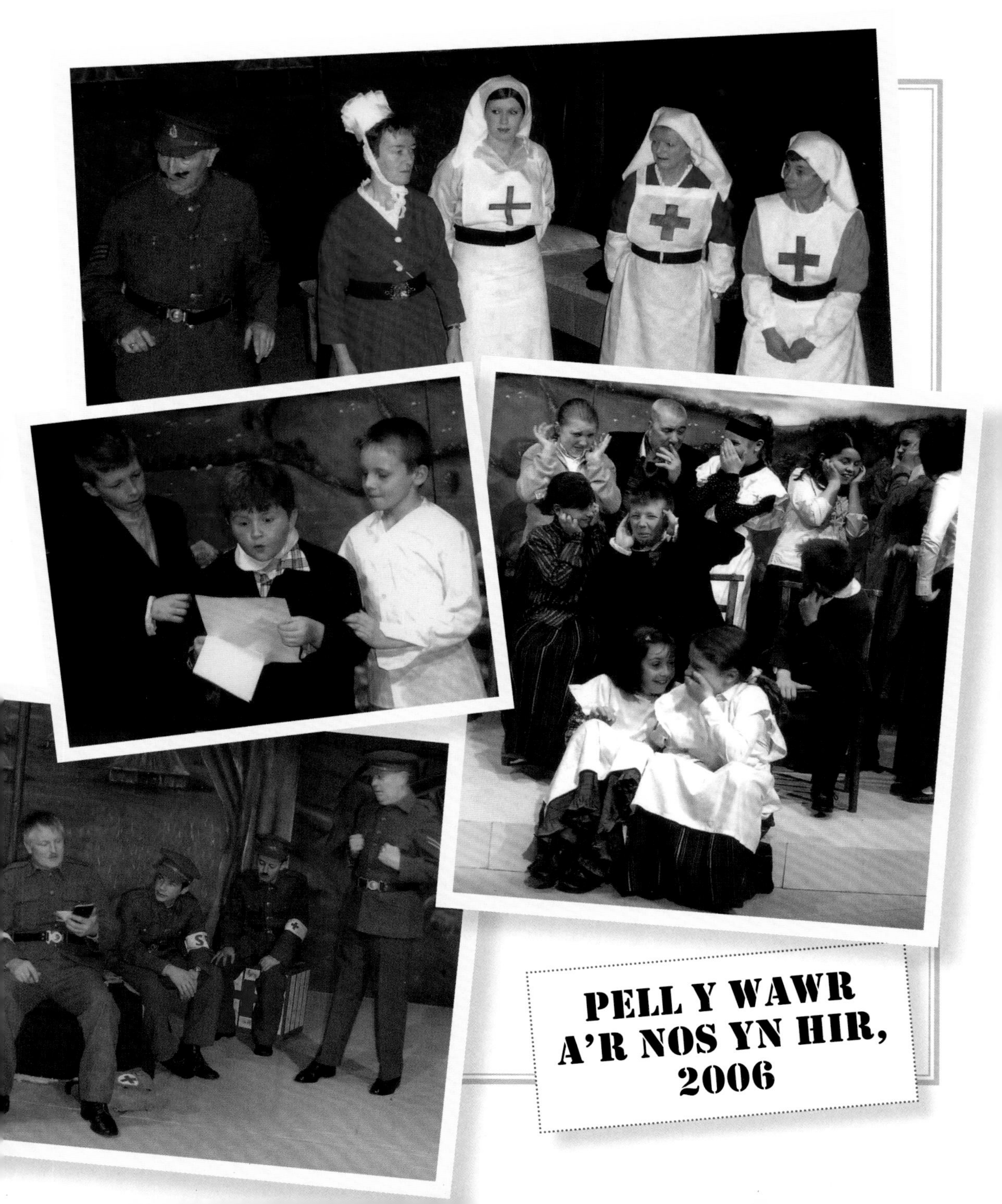

PELL Y WAWR
A'R NOS YN HIR,
2006

Y DEWRAF O'N HAWDURON, 2007

UN NOS OLA LEUAD,
2008

O GARREG BOETH
I BORTH YR AUR,
2009

'Gwelais bosibiliadau'r theatr fyw
fel ymestyniad i foli.'
— Harri Parri

'I saw the possibility of the live theatre
as an extension to worship.'
— Harri Parri,
Caernarfon Herald, 17 Mehefin 1988

Cydnabyddiaethau Lluniau

Eiddo personol yr awdur yw'r lluniau oni nodir yn wahanol. Ym mhennod 'Angori yng Nghaernarfon' daw nifer o luniau o archif capel Seilo.

4, 5, 43, 45, 287 Dylan Williams; **7, 44, 66, 121, 123, 124** Huw Talfryn Walters; **12, 27, 39** [© Concept, Abertawe SA5 4OE], **49** Emrys Ellis, Pwllglas; **14** Trwy law Eilir Jones; **17** Eirian Evans; **20** Hen gerdyn post Raphael Tuck & Sons; **21** Fron Dirion, Sue Hopkinson; **30, 32, 252** Richard Jones; **31** Elfyn Richards; **33** *Pwyso ar y Giât*, Aled Lloyd Davies, Gwasg y Bwthyn, 2008; **46** Natalia A. McKenzie; **51** *Liverpool Daily Post*, 14 Tachwedd 1972, t. 7; **59, 137** Tabernacl Porthmadog images, flick.com; **60** Sgan o lun yn y gyfrol *Caniadau'r Allt*, 1927, Commons. Wikimedia.org; **65** *Y Cymro*, 6 Ebrill 1976, t. 1; **67** thegraphicsfairy.com; **85** *Y Casglwr*, rhifynnau Gaeaf 2008 a Gwanwyn 2009; **89** *Bro a Bywyd*, Islwyn Ffowc Elis, t.4; *Y Genhinen* 28 Ionawr 1978; **92, 93** Gwenda Richards; **96** Catrin Lliar Jones; **99** Llyfrgell Genedlaethol Cymru, Commons. Wikimedia.org; **103** Tegwyn Jones, *Byw*, Chwefror

Bore fy 'mhregeth braw' [yn Uwchaled] bu bron i'r ardal golli gweinidog yn hytrach nag ennill un.

I mi, blynyddoedd Dyffryn Madog fu blynyddoedd y mentro a'r arbrofi peth.

Caernarfon: Gweinidog eglwys wahanol i'r un a'm galwodd?

1966 t. 39; **106** (ochr dde), **107** Carys Humphreys; **114** *Y Cymro*, 1 Rhagfyr 1971; **116** Allan Warren, Commons.Wikimedia.org; **131** Arfbais y Tywysog Charles, Commons.Wikimedia.org; **134** Eirian Evans, Commons.Wikimedia.org; **135** Marcel Antonisse, Commons.Wikimedia.org; **140** Hen gerdyn post: E Lloyd Williams, Caernarfon; **146**, **150**, **157** *Calon i Weithio*, William Gwyn Lewis, 1986; **163**, **165** Llun Ieuan Owen, *O Garreg Boeth i Borth yr Aur*, W. Gwyn Lewis, 2009; **170** Toriad o'r *Herald Cymraeg*, *Y Cymro* neu'r *Goleuad*, yr actorion ar ôl perfformiad cyntaf y pasiant *Y Golau Ni Ddiffydd*, Ebrill 1978; **176**, **246** Nan Parri; **177** Andreas Praefcke, Commons.Wikimedia.org; **180** Alexander Redfern, Commons.Wikimedia.org; **185** Toriad o *Golwg*: stori Robin Gwyn a llun Aled Jenkins; **202** Michael Büker, Commons.Wikimedia.org; **203** Mikhail Evstafiev, Commons.Wikimedia.org; **215** Arwyn Roberts, *Pobol Arwyn Herald*, Gwasg Carreg Gwalch, t. 66; **219** Bobbie Hanvey, Commons.Wikimedia.org; **220** Sinn Féin, Commons.Wikimedia.org; **230**, **231** *Y Gwyliedydd*, 7 Awst 1988; **236** Toriad o'r *Daily Post* a llun teuluol; **238** *Mae'r Dall yn Gweld: Stori bywyd Arthur Rowlands*, Enid Baines, Gwasg Tŷ ar y Graig, 1983, t.135; **239** *Barn*, 19 Chwefror 2013, t. 29; **245** Llun o Raglen Cyfarfod Sefydlu'r Parchedig Gwenda Richards, nos Fercher, 6 Mehefin 2001.

Eto, nid hunangofiant
mo hwn.
Rhan o'r stori.

...henodd efe.
7 Ond os chwi ni chr
, pa fodd y credwch

PEN

Crist yn porthi pùm m
bysgodyn: 15 a'r bobl
wneuthur ef yn frenhin;
ac yn rhodio ar y môr
ceryddu y bobl oedd yn he
wrandawyr ei air: 32 ac
bywyd i'r ffyddloniaid.
n ymadael âg ef. 68 Petr
udas yn gythraul.

WEDI y pethau hyn y
fôr Galilea, hwnnw
thyrfa fawr a'i ca
welsent ei arwyddion
cleifion.
esu a aeth i fynu
d yno gyd â'i ddis
gwyl yr Iuddew
Iesu a ddyrcha
tyrfa fawr yn
Phylip, O b
rhai hyn fw
odd efe i'
oedd

f, Gw